Couverture :
Le Taj Mahal
Gardes :
Cambodge : fresque du Bayon
Pages 6/7 :
L'un des temples gréco-romains les mieux conservés : Ségeste, en Sicile
Page 10 :
Cambodge : Bouddha, à l'entrée du temple d'Angkor Thom
Page 129 :
Moscou : la cathédrale Saint-Basile

ISBN : 2-84790-136.1
Dépôt légal : 4e trimestre 2003
Imprimé en France

Crédit photographique :

Nguyen Thuc Diem : 1, 11, 34/35, 38/39, 46, 47, 48, 49, 51, 52/53, 54/55, 56, 57, 59, 62/63, 70/71, 73, 76, 84, 85, 86/87, 90/91, 92/93, 110, 112 121. **Hervé Champollion**: 6/7, 20/21. **Gros de Beler** : 22, 23, 40, 41, 44, 45, 98, 99, 100/101, 103, 106/107 ; **Eparzier:** 18/19. **Alain Mahuzier** : 26, 27, 89, 94, 95. **Slide/Bavaria**: 14/15, 16/17, 20/21, 29, 78/79. **Slide/Cash** : 12/13, 24, 25, 62/63, 70/71. **Slide/Skishoot/Offshoot** : 129.**Slide/Viewfinder** : 38/39, 43 bas. **Slide/Visuals** : 80, 108/109, 110/111. **Slide/Charmet** : 129. **Slide/Féjoz** : 36/37. **Slide/Kanus** : 104/105. **Slide/Petri** : 68/69, 82/83, 96/97. **Hirou/Yargui**: 98/99.

Et l'aimable participation des offices de tourisme de Corée, d'Israël, de Malaisie, de Singapour, de Thaïlande et de Cedok pour la Tchéquie.

Collaboration : Jean-Pierre Hirou, Michèle Yargui, Suzanne Madon, Aude Gros de Beler, Christiane Fromager, Frédérique Vivier. S.B.

LE MONDE

Merveilles et Curiosités

Préface
Alain Mahuzier

LES "PETITS" MOLIÈRE

PRÉFACE

“Ma résidence secondaire, c’est le monde entier”, disait mon père, Albert Mahuzier, en entraînant sa femme et ses neuf enfants pour un tour du monde familial qui commença à ma naissance.

Une vie à explorer le monde et à en découvrir ses infinies beautés. Les merveilles de ce monde, vous pourrez les admirer, vous aussi, dans ce remarquable ouvrage, dont les saisissantes photographies illustrent bien ce que nos yeux ont pu contempler sur les cinq continents. Des fameuses *Sept Merveilles du Monde* antique, il ne reste que l’impressionnante pyramide de Khéops. Mais les anciens avaient bâti des cités fabuleuses dont le nom seul fait rêver : Persépolis, ce trésor des Perses qui disparut dans l’incendie allumé par Thaïs, la compagne d’Alexandre le Grand : Baalbek, dont les colonnes dans le soleil couchant du désert vous imprègnent d’une douce mélancolie…

Des villes comme Athènes furent des centres de pensée universels, comme Jérusalem, des lieux sacrés pour toutes les religions monothéistes, des temples comme Angkor, des hauts lieux de l’art mondial. Des pyramides comme Chichen Itza ou Tikal sont les traces de peuples disparus.

Mais que dire du mystère qui se dégage des sites beaucoup plus difficiles d’accès comme les cités d’Apollon à Bassae en Grèce ou à Apollonia en Albanie, les ruines de Gondar en Ethiopie ou le fameux Machu Picchu des derniers Incas, quand la brousse s’écarte soudain devant cette architecture venue d’ailleurs ?

Comment ne pas s’étonner des statues-menhirs de San Agustin ou ne pas s’émerveiller devant le trésor de Toutankhamon, ce jeune pharaon dont le sourire d’or s’est figé pour l’éternité ? Sans doute, l’endroit le plus impressionnant du monde est-il justement le plus isolé : l’île de Pâques.

En contemplant ces énigmatiques statues que sont les moaïs, les "yeux qui regardent le ciel", un vertige cosmique fait saisir l'étroit rapport entre l'infiniment grand de l'univers et l'infiniment petit de notre planète.

L'Orient est un réservoir infini de merveilles. Si les cités caravanières d'Asie centrale rappellent Marco Polo et la *Route de la Soie*, les temples de l'Inde témoignent de l'extrême habileté des artistes, ceux de Birmanie et de Thaïlande, de la richesse inouïe de ces "domaines des dieux" qui s'échelonnent jusqu'aux extrémités du Japon, parfois véritables constructions de géants, parfois délicat équilibre entre la pierre, l'or et la terre. Au Tibet, vous éprouverez ce sentiment étrange de retrouver dans l'art bouddhique l'évocation d'un monde antérieur, dont il resterait quelques bribes dans les rêves de votre subconscient.

Mais les "merveilles du monde" sont aussi des splendeurs de la nature. On ne peut que rester saisi par la colossale grandeur de Bryce Canyon, dans la lumière rosée du couchant, par le bond prodigieux des chutes d'Angola ou la puissance envoûtante du désert d'Australie.

L'homme moderne a aussi réalisé des prouesses qui impressionnent, comme les forêts de gratte-ciel de New York et de Singapour. Mais n'est-ce pas dans notre chère Europe qu'il nous est le plus facile d'admirer les plus belles réalisations de l'architecture ? Tout près de nous le vieux Londres, la Grand-Place de Bruxelles, l'Alhambra de Grenade, les toits dorés de Prague, les cathédrales du Kremlin, les palais rutilants des tsars ou celui de Topkapi.

Pour vous, la nostalgie éclate à Venise en automne, la grandeur à Chambord au printemps et la folie à Neuschwanstein en hiver. Quelle invitation au rêve et à l'évasion que les illustrations de ce superbe livre, quelle envie irrésistible de partir se dégage de ces pages ! Merveilles du monde dont les amoureux du voyage ne sauraient se lasser.

Alain MAHUZIER
Cinéaste-conférencier
"Connaissance du Monde"

SOMMAIRE

En Grande-Bretagne

Londres est la capitale de l'**Angleterre** mais celle-ci n'est, en fait, qu'une composante du **Royaume-Uni** qui englobe la **Grande-Bretagne** et l'**Irlande du Nord**. C'est "une île entourée d'eau", rappelait ***André Siegfried***, et elle est anglicane depuis que le pape a interdit à ***Henri VIII*** d'épouser ***Anne Boleyn***. Ce souverain haut en couleur aimait la jeune femme et il n'hésita pas à rompre avec **Rome** pour l'épouser et se nommer chef spirituel de son peuple. Il n'hésita pas non plus, quelque temps plus tard, à condamner sa jeune épouse à mort et à se remarier quatre fois. C'est néanmoins son histoire privée qui a décidé de l'avenir spirituel de son peuple.

Londres a connu sa première expansion commerciale grâce aux ***Romains*** qui s'étaient installés sur un site celte. Puis vinrent les ***Vikings*** et les ***Barbares***. Au milieu du XIe siècle, le lieu de **Westminster** (par opposition à l'est, east) fut choisi comme le cœur du royaume. ***Edouard le Confesseur*** y installa le premier centre du pouvoir britannique.

Entre 1050 et 1065, ce roi d'**Angleterre** agrandit le monastère qui allait devenir le premier palais de **Westminster**. Son cousin, ***Guillaume le Conquérant***, s'empara du trône après sa victoire à **Hastings** en 1066. Après son couronnement à **l'abbaye de Westminster**, il s'installa au palais. Jusqu'au XVIe siècle, le palais abritait à la fois la résidence royale et le **Parlement**. Celui-ci est, depuis le XIVe siècle, divisé en Chambre haute (**Chambre des Lords**) et Chambre basse (**Chambre des Communes**).

Un incendie détruisit la quasi-totalité du **Parlement** en 1834, à l'exception de **Westminster Hall**, de la crypte **Saint-Etienne** et de la **Tour du Trésor**. Parmi les nombreux curieux, ***Turner et Constable*** ont peint l'événement. Dès 1840, ***Charles Barry*** et ***Augustus Pugin*** entreprirent des travaux de réédification dans le style néo-gothique caractéristique de l'époque victorienne. La **Chambre des Lords**, riche de son magnifique trône ciselé, fut achevée en 1847 et la **Chambre des Communes** en 1850.

La salle des séances de la **Chambre des Communes** fut détruite le 10 mai 1941 sous les bombes de l'aviation hitlérienne. Reconstruite, elle fut réouverte en 1950.

Londres : Westminster

Les turbulences politiques et religieuses de ce pays dont l'influence s'est étendue sur les cinq continents sont souvent parties des murs de ce qui était à l'origine un monastère des bords de la Tamise. Ses dimensions sont gigantesques. Plus de 1000 salles, une centaine d'escaliers et environ 11 km de couloirs. Deux tours encadrent le Parlement, la Clock Tower ou Tour de l'Horloge et la Tour Victoria. Terminée en 1858, la Tour de l'Horloge (96 m de haut) est devenue le symbole de la ville de Londres. Son horloge pèse 13 tonnes. Connue sous le nom de Big Ben par référence au Surintendant aux travaux qui installa l'horloge, Sir Benjamin Hall, elle a donné son indicatif à la BBC. La session du Parlement se tient une fois par an. Le drapeau britannique flotte sur la Tour Victoria lors des sessions de jour, et une lanterne s'allume sur la Tour de l'Horloge pendant les sessions de nuit.

En Belgique

La **Belgique**, région de la **Gaule**, fit partie de l'empire romain, puis du royaume franc. Au Moyen Age de puissants fiefs s'y constituèrent tels les **comtés de Flandre** et de **Brabant**. Ce dernier passa à la maison de **Bourgogne** en 1406 et le duc ***Philippe le Bon*** en hérita en 1430. En 1477, le **Brabant** passa à la maison d'**Autriche**.

Bruxelles, cité brabançonne, s'est formée à partir d'un château, un "castrum" nommé bruoc sella (la maison du marais), construit à la fin du Xe siècle dans une des trois îles de la rivière **Sennes**.

Dès le XIIe siècle, **Bruxelles** s'agrandit, développa ses industries drapières et devint une place commerciale importante, une ville étape entre **Cologne** et **Bruges**. L'activité marchande prospéra aux XIIIe et XIVe siècles. L'accroissement de la population modifia l'aspect de la ville. De nouveaux remparts furent élevés entre 1357 et 1379. Au début du XVe siècle, les ***ducs de Brabant*** choisirent de s'installer à **Bruxelles**, délaissant **Louvain**. Le corps des échevins demanda à l'architecte ***Jacques Van Thienen*** d'édifier l'**Hôtel de Ville**. Sa construction fut commencée en 1402. C'est un chef-d'œuvre du style gothique flamboyant brabançon. Il se dresse sur la Grand-Place, où se tenait le marché de la ville dès le XIIe siècle. Sa superbe tour qui dépasse 90 mètres de haut domine l'ensemble.

Ce lieu de rencontre animé regroupe d'autres monuments historiques. La **Maison du Roi** qui abrite aujourd'hui le musée communal date du XVIe siècle et fut restaurée par ***Charles Quint***. Celui-ci fut couronné à **Bruxelles** en 1516 et y abdiqua en 1555 en faveur de son fils ***Philippe II***, lui aussi roi d'**Espagne** et souverain des **Pays-Bas**. Les célèbres maisons qui entourent la place évoquent les assemblées qu'y tenaient les corporations. Après le bombardement ordonné en 1695 par ***Louis XIV***, elles furent reconstruites en style baroque. Parmi les métiers représentés, on peut admirer les maisons des Merciers (maison du Renard) avec la statue de ***saint Nicolas*** leur patron, des Archers (maison de la Louve), des Boulangers (dite Au Roi d'Espagne) de 1697, des Tailleurs (La Chaloupe d'or), ou celle des Peintres (le Pigeon) dans laquelle ***Victor Hugo*** vécut en 1852.

Bruxelles : la Grand-Place

Cette place est l'une des plus belles d'Europe. Elle rappelle l'époque brillante des corporations. Ce style architectural où se mêlent le gothique et la Renaissance se retrouve dans plusieurs opulentes cités d'Europe du Nord : les places sont rectangulaires et fermées, les maisons hautes, étroites et les façades sculptées laissent tout l'espace possible aux fenêtres à petits carreaux. A gauche, la façade de l'Hôtel de Ville, sculptée à la manière d'une cathédrale, évoque le lien étroit qui existait à l'époque entre la vie religieuse et la vie civile.

En Allemagne

Des "châteaux fous" de ***Louis II*** de **Bavière, Neuschwanstein** est certainement le plus connu. Sa haute et fine silhouette blanche évoque souvent à elle seule le tourisme en **Allemagne**. Mais ce château s'accorde souvent mal avec l'idée que l'on se fait de l'**Allemagne**.

Notre perplexité cesse lorsque l'on regarde l'histoire de ce pays : il y a cent trente ans, **Munich** et **Berlin** se combattirent âprement. La **Prusse**, militaire et à majorité protestante, s'entendait fort mal avec la **Bavière**, plutôt catholique et proche de l'empire austro-hongrois. Les casques à pointe de ***Bismarck*** finirent d'ailleurs par écraser brutalement l'**Autriche** à **Sadowa** en 1866 et la **Bavière**, son alliée, qui, en 1871, fut définitivement rattachée à l'Etat allemand. La **Prusse** avait prouvé sa suprématie. Mais l'une des forces du **Saint Empire romain germanique** résidait dans son unité de langue et de culture. Et, comme ses ancêtres, le dernier des ***Wittelsbach***, dynastie réputée pour son amour des arts et qui souhaitait affirmer sa suprématie intellectuellement et pacifiquement, avait été nourri de culture germanique et des légendes des *Nibelungen*.

Orphelin de père à 18 ans, ***Louis II*** monta aussitôt sur le trône et son premier acte de pouvoir fut de faire rechercher pour l'inviter le musicien qui avait mis en scène toutes ces légendes : ***Richard Wagner***.

Les rapports entre ***Louis II*** et l'artiste allaient défrayer la chronique, les **Bavarois** n'ayant pu supporter les caprices de celui qu'ils appelaient l'étranger. Bientôt, privé de pouvoir politique par ***Bismarck***, ainsi que de la présence de ***Wagner, Louis II*** retourne à la passion des ***Wittelsbach*** pour les arts. Son père, ***Louis Ier***, avait fait reconstruire **Munich** en néo-gothique pour prouver la puissance de sa capitale.

Un séjour à **Paris** et à **Versailles** fascine le jeune souverain, malgré l'accueil glacial des ***Français*** qui ne font pas la différence entre un ***Prussien*** et un ***Bavarois***. Un an après, ***Louis II*** revient en **France**, à **Reims**, où il est fasciné par la légende divine des ***Bourbons***. Ces deux séjours ont marqué le jeune souverain au plus intime de son être. La **Bavière** n'a plus de rôle politique mais, comme les ***Bourbons***, les ***Wittelsbach*** sont de sang divin : le sol de leur patrie aura lui aussi droit à ses chefs-d'œuvre.

Le château de Neuschwanstein

Perché à presque 1 000 mètres d'altitude, ce fantastique vaisseau – dont le nom signifie la nouvelle pierre du cygne – fut le premier château qu'entreprit Louis II mais, à sa mort en 1886, il n'était pas encore achevé. La première pierre fut posée le 5 septembre 1869 ; Louis II n'a pas encore effectué ses séjours en France. Il est en pleine période wagnérienne, hanté par Siegfried. Il veut bâtir un château fort à la manière du Moyen Age, mais c'est un décorateur de théâtre qui lui a présenté les plans qui l'ont séduit. La seconde moitié du XIXe siècle connaît en Occident une étrange vogue pour le néo-gothique et, ici, le roman, le rococo, le gothique et les rêves fantastiques de Louis II se conjuguent dans un patchwork surréaliste et superbe. Dans certaines pièces, on pourrait jouer Tannhaüser ou Lohengrin sans changer les décors. La profusion de la décoration intérieure et le gigantisme de la construction (plus de 200 pièces avaient été prévues) entraînèrent des dépenses qui posèrent assez vite un problème politique au roi. On remarquera que cet esthète avait toujours choisi des sites superbes pour ses châteaux. Neuschwanstein, Herrenchiemsee, réplique de Versailles, Linderhof, petit Trianon revu à la mode italienne, seront ses trois plus prestigieuses réalisations.

En France : Paris

Au départ, il semble y avoir eu une tribu celte, les ***Parisii***, qui jette l'ancre sur un marais qui lui semble particulièrement riche. Ces berges accueillantes deviennent bientôt une île habitée. Les ***Romains*** arrivent et confient l'île au talent de leurs architectes.

Elle s'avère bientôt trop petite et les terres qui lui font face, notre rive gauche, doublent bientôt la superficie habitable, la triplent et même plus si l'on compte le départ des longues voies romaines qui conduisent à **Rome** ou en **Espagne**. Mais, malgré l'extension de **Lutèce** rive gauche, c'est l'île elle-même qui représente le cœur de la cité. Elle abrite le siège du gouvernement (le palais du préfet où siège la préfecture du XXe siècle), le siège religieux (l'actuelle **Notre-Dame**) avec le temple de ***Jupiter***, maître des dieux, le siège de la vie publique avec le **Forum**.

Les armées d'***Attila*** interrompent bientôt cette prospérité établie sur le cours de la **Seine**. Les ***Lutéciens*** dispersés rive gauche se regroupent dans l'île où ***Geneviève*** les invite à résister. Avec succès.

Mais bientôt les navires normands venus de **Scandinavie** utilisent la **Seine** pour envahir la terre des *Francs*. Devant leurs assauts répétés, le peuple se regroupe et se donne un vrai chef : ***Eudes***, comte de **Paris**, devient roi. Son successeur mettra définitivement fin aux invasions des ***Normands*** en leur cédant la **Normandie**. Puis vient ***Hugues Capet***, élu par ses pairs duc de **Paris** et proclamé roi de **France** en 987. Le royaume s'organise peu à peu. Viennent ensuite les croisades qui mobilisent les foules ; on vient écouter les ecclésiastiques qui les prêchent quand ils ne dispensent pas leurs cours suivis avec passion. Ils sont les seuls habilités à enseigner n'importe quelle discipline.

C'est l'époque du brillant ***Abélard*** si malencontreusement amoureux de la nièce du célèbre chanoine ***Fulbert***. En 1160, ***Maurice de Sully*** devient évêque de **Paris** et il obtient de ***Louis VII*** son accord pour doter **Paris** d'une cathédrale digne d'une capitale ; à **Saint-Denis**, l'abbé ***Suger*** avait monopolisé l'attention des foules avec sa superbe construction. ***Maurice de Sully*** avait vu juste : neuf siècles après, "sa" cathédrale, devenue l'un des joyaux de l'architecture, constitue l'un des "repères" religieux et artistiques du monde occidental.

Notre-Dame

Le chevet de la cathédrale est très souvent assimilé aux voiles déployées d'un navire, ce qui ne fait que renforcer l'évocation des Nautes, premiers maîtres de la capitale, dont la devise "Fluctuat nec mergitur" a toujours figuré sur le blason de la capitale. Notre-Dame, au cœur de l'île qui fut le berceau de Paris, possède, pour de multiples raisons, une puissance symbolique très forte. Bien que la capitale recèle une multitude d'églises, de monuments civils prestigieux et superbes et de bâtiments plus récents dont la construction fait toujours couler beaucoup d'encre (de la Tour Eiffel à la nouvelle bibliothèque), c'est Notre-Dame qui, le long de la Seine, continue souvent à illustrer la renommée internationale de Paris et, curieusement, sans connotation religieuse.

Chambord

Avec **Chambord,** ***François Ier*** a donné à cette **France** sur laquelle il voulait tant régner un éclat incomparable. A l'aube du XVIe siècle, le pays sort à peine de ce qu'on appelle la longue époque du Moyen Age au cours de laquelle le rôle du roi ou des seigneurs était d'assurer la sécurité physique et l'alimentation du peuple. La **France** a donc une longue habitude défensive. Il y eut les invasions normandes puis les luttes incessantes avec l'**Angleterre** déclenchées par le mariage d'***Aliénor d'Aquitaine*** avec ***Henri II d'Angleterre*** en 1152. Deux siècles plus tard commençait la guerre de Cent Ans (1337-1453).

La fin du Moyen Age voit le problème anglais réglé mais commencent alors les guerres d'**Italie** dont la richesse des cités et des duchés va bientôt fasciner toute l'**Europe**.

A l'extrême fin du XVe siècle, le fils de ***Louis XI, Charles VIII***, a entrepris de faire valoir les droits de sa mère sur le royaume de **Naples**, déclenchant ainsi les hostilités. En 1515, ***François d'Angoulême***, qui a épousé la fille de ***Louis XII*** l'année précédente, remporte la légendaire victoire de **Marignan**. A son retour en **France**, très impressionné par la richesse artistique de l'**Italie**, il entreprend la construction du château de **Chambord**. Le lieu sera bientôt auréolé de légendes : l'emplacement évoquerait une chute de cheval au cours d'une chasse et les soins délicats qu'une ***châtelaine de Thoury*** aurait apportés au roi. L'architecte ne sera jamais vraiment identifié. On évoque le ***Boccador***, artiste italien à qui l'on doit l'**Hôtel de Ville** à **Paris** et l'on dit que le célèbre voisin, ***Léonard de Vinci***, qui réside au **Clos-Lucé** ne serait pas étranger à ce plan somptueux, mais rien n'est sûr, hormis l'influence de l'**Italie**.

Avec **Chambord,** ***François Ier*** inaugure une conception architecturale totalement révolutionnaire : un château de plaisance d'où la notion de forteresse est totalement exclue.

Malgré le donjon central, tout, à **Chambord**, invite à cette mode nouvelle qu'est la Renaissance : des fenêtres pour voir l'horizon, certes, mais, surtout, pour se promener, des terrasses. Un cadre de vie luxueux à l'opposé des châteaux bâtis jusque-là.

Le château vu de dos

De la part de François Ier qui, dix ans après Marignan, connaîtra le désastre de Pavie et l'humiliation de la captivité, emprunter à l'ennemi ses traditions artistiques et construire une demeure où la notion de sécurité n'existe pas relève du défi. Mais "le père des arts et des lettres" a compris l'importance de l'apparat, comme Xerxès à Persépolis ou Périclès à Athènes : lorsqu'il recevra Charles Quint qui acceptera de se déplacer à Chambord, il aura gagné.

En Espagne

En 1492, les Rois Catholiques ***Isabelle de Castille*** et ***Ferdinand d'Aragon*** s'emparèrent de **Grenade** (**Rharnata** en arabe) et obtinrent la reddition de ***Boabdil***, le dernier roi musulman d'**Andalousie**. Pendant deux siècles, la dynastie des ***Nasrides*** avait bénéficié de son rôle d'intermédiaire commercial entre les royaumes chrétiens d'**Espagne** et le **Maghreb** islamique. Ce fut l'époque de l'épanouissement le plus raffiné de la civilisation hispano-mauresque.

Le "**Calat Alhambra**" (le "château rouge") est une forteresse royale dominant **Grenade**. A l'ouest, la forteresse de l'**Alcazaba** d'où l'on admire la vega, la grande plaine qui se déploie jusqu'au pied de la **Sierra Nevada**. A l'est, l'ancienne cité qui a fait place aux jardins du **Partal**. Au nord, l'**Alcazar**.

Le palais de l'**Alhambra** s'articule autour de deux patios allongés dont les grands axes sont perpendiculaires. La cour des **Comares** (ou des **Myrtes** car deux massifs de myrtes y soulignent en son centre un grand bassin allongé), avec ses galeries à arcades et ses salles de réception au rez-de-chaussée : la salle de la Barca, salle des Ambassadeurs ou du Trône, fut réalisée sous ***Yusuf Ier*** (1332-1354). La **cour des Lions**, la salle des **Deux-Sœurs** (deux grandes dalles de marbre), la salle des **Mocarabes** (stalactites), celles des Rois ou du Tribunal et la salle des ***Abencérages*** (une famille aristocratique exécutée par ***Boabdil***) datent de ***Muhammad V*** (1354-1392). La **fontaine des Lions** occupe le centre de deux allées qui se coupent à angle droit et conduisent à quatre kiosques.

L'art nasride de **Grenade** est celui de la virtuosité, des contrastes et des nuances : murs lisses s'opposant aux colonnades, rythmes changeants des colonnettes légères, isolées, jumelées ou groupées, enfilades d'arcs. Le décor est fastueux : mosaïques de faïence à motifs géométriques formant des étoiles, plâtres sculptés à thèmes floraux et calligraphiques, plafonds et dômes en bois ouvragé, sculpté ou peint.

Le **Generalife** avec ses jardins en terrasse était la résidence de repos des rois de **Grenade**. C'est le domaine des cyprès et des lauriers-roses, des myrtes et des orangers, des bassins et des jets d'eau. Au nord et au sud, deux pavillons à portique. Celui du nord, le **Mirador du Generalife**, se compose de cinq arcs, sveltes et stylisés et trois autres, en arrière, en marbre et ornés de chapiteaux à stalactites. Puis une salle d'où l'on contemple les trois collines de **Grenade : l'Albaicin**, le **Sacromonte** et l'**Alhambra**.

Charles Quint se fit construire un palais sur l'**Alhambra** : il s'agit d'un édifice carré avec une belle grande cour circulaire. Il affirmait ainsi la victoire de la Reconquista et l'éclat de la Renaissance espagnole.

Ci-dessus

Grenade : la fontaine des Lions

Ces douze lions de pierre ont légué leur nom à toute une partie de l'Alhambra. Pour les Arabes, habitants des pays chauds, l'ombre et la fraîcheur représentaient autant un art de vivre qu'un signe de richesse. Plus le maître de maison était puissant, plus son patio était élégant et frais. D'autre part, le ruissellement de l'eau pure est, selon Mahomet, l'un des éléments qui évoquent le Paradis.

Page en regard

La cour des Lions

C'est avec cet éclatant témoignage de leur talent que les Arabes ont quitté l'Espagne. La dernière dynastie au pouvoir, celle des Nasrides, s'intéressa beaucoup plus à l'art civil qu'à l'art religieux. Le splendide travail du stuc dans la cour des Lions, perpendiculaire à celle des Myrtes, l'illustre aisément. On remarquera le peu de rapport entre l'art des premiers musulmans, qui culmine dans la forêt de piliers de marbre de la mosquée de Cordoue, et ces palais si raffinés.

En Italie

Venise : le Grand Canal vers Santa Maria della Salute

Pour conjurer la peste de 1630, Venise décida d'édifier une église monumentale à la Vierge Marie, Baldassare Longhena fut l'architecte de ce chef-d'œuvre baroque dont les travaux débutèrent en 1631. Pour éviter l'enfoncement du terrain, il fallut planter plus d'un million de pilotis. L'église Santa Maria della Salute fut consacrée en 1687, cinq ans après la mort de Longhena. Tous les ans, le 21 novembre, un pont de bateaux est constitué sur le Grand Canal pour permettre le passage d'une procession commémorative.

Venise a été fondée au VIe siècle par des habitants de la province romaine de **Vénétie** qui fuyaient l'invasion des ***Lombards*** et se réfugièrent sur les îlots des lagunes. Ils restèrent sous la dépendance de l'exarque byzantin de **Ravenne**. Au VIIIe siècle, un *dux* (chef, en latin) ou *doge* (en vénitien) est élu et le contrôle byzantin se relâche. **Venise** se développe à partir de l'îlot du **Rivo Alfo** ou **Rialto**. L'archipel de 118 îlots dispose d'une voie principale, le **Grand Canal**, de 177 petits canaux, les rii, et de 450 ponts. Les maisons et palais sont bâtis sur pilotis.

La fortune de **Venise** naît de son rôle d'intermédiaire commercial entre Orient et Occident. Métaux précieux, épices, soieries, draps, bois et esclaves sont achetés à **Constantinople**, à **Alexandrie** et dans les **Balkans** pour être revendus en **Europe occidentale**.

La basilique **Saint-Marc**, achevée en 1094, unit de manière grandiose l'art roman à l'art byzantin. Elle abrite les reliques supposées de l'***Evangéliste***, devenu le patron de la cité.

Venise est une république aristocratique dont les doges se recrutent dans quelques grandes familles de propriétaires fonciers qui investissent dans les opérations maritimes. Les ***Vénitiens*** prennent sous leur contrôle la côte dalmate de **Zara (Zadar)** à **Raguse (Dubrovnik)**. En 1204, ils participent avec les *croisés* au pillage de **Constantinople** et se constituent un empire colonial dans les îles grecques, le **Péloponnèse**

et à **Thessalonique**. Ils disposent de la première flotte de la chrétienté. En 1295, ***Marco Polo***, fils d'un marchand vénitien parti en **Chine**, revient de sa lointaine expédition, mais les ***Génois*** l'emprisonnent. Du fond de sa geôle, il raconte jour après jour à son compagnon son fabuleux voyage parvenu jusqu'à nous sous le titre de *Livre des merveilles du monde*.

Le pouvoir du doge est limité par un Grand Conseil de 1000 membres et par le Conseil des Dix. Après quatre guerres avec **Gênes, Venise** finit par l'emporter et s'étend sur la terre ferme en **Italie du Nord** grâce aux conquêtes des chefs de guerre mercenaires, les ***condottieri***. Mais la prise de **Constantinople** par les ***Turcs*** en 1453, la découverte de l'**Amérique** par ***Christophe Colomb*** en 1492 et l'arrivée de ***Vasco de Gama*** aux **Indes** portent une série de coups au monopole vénitien des épices et du poivre. Cependant **Venise** s'adapte, garde la première place dans ce rôle de redistribution et développe de nouvelles activités : banques, chantiers navals, industrie lainière, verrerie et artisanat de luxe.

Le **pont du Rialto** est reconstruit en marbre, le **palais ducal** (résidence du doge et des Conseils), les **Procuraties**, la **tour de l'Horloge** et les brillants palais du **Grand Canal** témoignent de la gloire de **Venise**. Mais malgré les fêtes somptuaires (élection du doge, carnaval) et le génie de ses peintres, **Venise** entre dans son déclin. Les ***Turcs*** s'emparent de **Chypre** et de la **Crète**. En 1797, ***Bonaparte*** contraint le dernier doge à l'abdication et livre **Venise** à l'**Autriche**. Par un plébiscite, elle s'unifie au Royaume d'**Italie** en 1866.

En dépit des inondations, de la pollution et de la dépopulation, **Venise** continue de briller de tous les reflets de ses briques et de ses tuiles, de ses marbres et de son or. De son ancienne puissance, elle conserve une aura et une beauté exceptionnelles.

Venise : le canal Saint-Marc vers le palais des Doges

Dès le IXe siècle, les doges firent élever un palais, siège de leur pouvoir et de ceux des Conseils. De la forteresse byzantine initiale au palais d'aujourd'hui, les bâtiments furent plusieurs fois détruits par des incendies. L'édifice actuel fut entrepris en 1340, la façade sur la lagune achevée en 1404 et celle sur la Piazzetta en 1424, reconstruite à l'identique après l'incendie de 1577. C'est une réalisation incomparable du gothique flamboyant. La salle du Grand Conseil peut accueillir plusieurs milliers de personnes.

En Albanie

C'est l'un des pays les plus ignorés du globe et, pourtant, il est géographiquement très proche. Etroite bande de terres montagneuses de 30 000 km², l'**Albanie** fait face à l'**Italie du Sud-Est**. Côté terre, elle s'encastre en **Yougoslavie (Monténégro** et **Macédoine)** et, au sud, en **Grèce**, à la hauteur de l'île de **Corfou**.

Ses rapports avec ses voisins n'ont jamais été bons et c'est avec la lointaine **Chine** de *Mao* que, longtemps, l'**Albanie** a entretenu ses seuls échanges. Ou plutôt, c'est d'elle qu'elle reçut une certaine aide.

L'**Albanie** fut habitée dès l'âge du paléolithique. Au cours du Ier millénaire av. J.-C., elle fut une région prospère, constituant la frontière occidentale du royaume d'**Illyrie** qui s'étendait jusqu'aux rives du **Danube**. La région tenait surtout sa richesse de son agriculture et aujourd'hui, l'**Albanie** est restée, comme il y a vingt-cinq siècles, un pays essentiellement agricole.

C'est au VIIe siècle av. J.-C. que les ***Grecs*** sont arrivés. **Apollonia, Epidamnos**, la future **Durrës, Butrint** – la **Buthrot** de ***Racine*** où l'écrivain situe l'action d'*Andromaque*, ***Pyrrhus*** étant ***Néoptolème***, roi d'**Epire** - témoignent de cette époque gréco-illyrienne. Puis vinrent les ***Romains*** qui traversèrent le pays de la **Voie Egnatia** pour relier **Rome** à **Byzance**.

Au IIe siècle av. J.-C., l'**Illyrie** devint un territoire romain et, au siècle suivant, ***Jules César*** veilla à y envoyer des colons pour assurer là son implantation. L'**Illyrie** donna trois empereurs à **Rome**: ***Aurélien, Dioclétien*** et ***Constantin***. Puis la région passa sous le contrôle de **Byzance** avant d'être pillée par les ***Barbares***. Les ***Slaves*** arrivèrent ensuite. Le territoire se partagea entre le nord et le sud où la population résista farouchement, se dotant d'un important pouvoir communal. Au IXe siècle, l'**Albanie** passa sous le contrôle des ***rois bulgares*** qui venaient de se convertir au christianisme byzantin. La population n'accueillit pas d'un bon œil ce nouvel occupant ni, au XIe siècle, la tentative des ***Normands*** ou celle des ***croisés***. A la fin du XIIIe siècle, le frère de ***Saint Louis, Charles d'Anjou***, se fit même proclamer roi d'**Albanie** mais les tensions locales l'obligèrent à renoncer rapidement à ce trône. Puis ce fut le tour de la **Serbie** de prendre le contrôle du pays, mais

Apollonia

Situé à 10 km de la côte au point de partage des eaux entre l'Adriatique et la mer Ionienne, le site d'Apollonia semble avoir été habité dès la préhistoire. Ce fut, comme Butrint, une cité illyrienne. Puis vinrent des colons de Corinthe, qui fut la mère-patrie et de Corfou, très proche. Les Grecs consacrèrent le lieu à Apollon. On voit ici les vestiges de son temple.

la résistance des seigneurs féodaux et montagnards s'organisa ; malheureusement, ils ne purent s'accorder entre eux et, finalement, les ***Turcs*** s'emparèrent de la région, surveillés par les ***Vénitiens*** plus occupés de considérations économiques que religieuses.

C'est à cette époque que naît le héros de la résistance albanaise, ***Skanderbeg***. Issu d'une famille princière humiliée par les ***Turcs***, il avait été, enfant, envoyé en otage chez l'occupant. Dans sa haine du ***Turc*** s'incarnaient toutes les passions et les rébellions du peuple albanais. Soutenu par le peuple, il réussit à leur tenir tête. Il profita ainsi d'un moment d'inattention des ***Turcs*** harcelés par les ***Hongrois***, alliés des ***Albanais***, pour s'emparer de la citadelle de **Kruja** ; cette dernière allait devenir le symbole de la résistance. D'une de ses fenêtres, il parvint à déployer le drapeau de sa famille (un aigle bicéphale) et à proclamer l'indépendance, ce qui souleva un tel enthousiasme parmi la population qu'il réussit à lever une armée de volontaires. Le drapeau de sa famille allait devenir l'emblème de l'**Albanie**.

Mais **Venise** s'inquiéta de ces foules capables de compromettre ses comptoirs albanais et elle s'allia aux ***Turcs*** pour renverser ***Skanderbeg***. Après une résistance étonnante, le héros finit par être vaincu, mais les ***Vénitiens*** aussi car les ***Turcs*** restèrent les seuls maîtres du jeu. Ils allaient conserver cette position jusqu'à la seconde moitié du XIXe siècle. L'**Albanie** vécut ainsi cinq siècles sous un joug turc puissant, mais dans l'intérêt de tous, les pachas s'efforcèrent de maintenir une certaine activité économique. Au XIXe siècle, les ***Albanais*** sentirent comme leurs voisins le souffle du réveil des nationalités, mais ce petit état féodal ne bénéficia pas des mouvements de sympathie portés aux ***Grecs*** ou du charisme d'un ***d'Annunzio***.

Finalement, en 1912, l'**Albanie** fut reconnue indépendante et elle se vit dotée d'un roi qui tint à peine un an. En 1914, les ***Autrichiens*** et les ***Italiens*** se partagèrent le pays. En 1919, l'**Albanie** retrouva sa jeune indépendance. Un chef local, ***Ahmet Zogou***, réussit à s'imposer par des moyens souvent contestés.

En 1928, il devient le roi ***Zog Ier*** d'**Albanie**. Très vite, il se lie plus ou moins volontairement à l'**Italie** qui finit par envahir son territoire. Le pays finit par devenir fasciste, avec ***Victor-Emmanuel III*** pour roi. Les frontières sont abolies entre l'**Italie** et l'**Albanie**. Rapidement, un mouvement de résistance se dessine, conduit par un communiste formé en **France**, ***Enver Hoxha***. Ce dernier gouvernera l'**Albanie** jusqu'à sa mort en 1985. Fidèle à la tradition d'isolement albanaise, il se brouilla avec tous ses voisins.

Le fort de Skanderbeg

Nous voyons ici la reconstitution d'une forteresse du XVe siècle, celle de Kruja, à 20 km au nord de Tirana. C'est de cette forteresse que Skanderbeg organisa la résistance contre les Turcs.

En Grèce : Athènes

Le Parthénon

Bien qu'il ne soit pas l'unique monument de l'Acropole, il y a aussi l'entrée monumentale que constituent les Propylées, l'Erechtéion avec ses célèbres corés (jeunes filles) qui remplacent les colonnes, et le délicieux temple, excentré, d'Athéna Niké, c'est ce temple de marbre blanc construit entre 447 et 432 av. J.-C. qui est la figure de proue de l'architecture grecque classique. Ce chef-d'œuvre d'élégance est un temple d'ordre classique de 69 mètres sur 31 mètres avec 8 colonnes par façade et 16 par côté. Ses colonnes cannelées sont effilées vers le haut (1 m 90 en bas, 1 m 45 en haut) et légèrement penchées vers l'intérieur du temple pour accentuer l'élégance de l'ensemble. Dédié à Athéna, il abritait jadis sa superbe statue sculptée par Phidias, l'Athéna Parthénos (parthénos signifie jeune fille, vierge). Dans l'enthousiasme de l'époque où Athènes, triomphante, transférait dans ses murs le Trésor de la Ligue de Délos. Phidias renouvela la conception même de l'œuvre d'art dans la sculpture de la frise qui ceignait les colonnes du temple à 12 mètres au-dessus du sol : il ne représenta pas les exploits d'un héros ou d'un dieu, mais le peuple athénien lui-même, défilant joyeusement dans l'allégresse de la victoire. C'est de cette acropole mais aussi de la vaste cité qui s'étendait à ses pieds que la Grèce classique a conquis le monde par l'art et par l'intelligence. Quand l'austère Sparte a vaincu Athènes par les armes, l'influence de la civilisation athénienne n'en a nullement été affectée. Les Romains, les chrétiens, les Turcs se sont succédé sur cette acropole tant convoitée, mais c'est la blancheur du Parthénon – autrefois, d'ailleurs, peint de couleurs vives – qui reste la référence par excellence de l'Occident.

La silhouette du **Parthénon** couronnant l'**Acropole** résume souvent à elle seule le berceau de la civilisation occidentale. Tout est parti de ce rocher sacré dont ***Athéna*** et ***Poséidon*** s'étaient disputé la suprématie : la nièce proposa l'olivier, l'oncle fit jaillir une source d'eau salée. ***Athéna*** l'emporta aisément.

L'histoire d'***Athènes*** commence à la fin du néolithique avec l'installation des ***Pélasges***. Ils furent bientôt détrônés par les premiers envahisseurs considérés comme ***Grecs***, parce qu'ils parlaient la langue qui servit de base au grec classique, les ***Ioniens***. Ils installèrent douze cités-états, parmi elles, ***Cecropia***, qui deviendra ***Athènes***. C'est la cité de ***Cécrops***, le premier roi d'***Athènes*** ; il interdit les sacrifices humains et enseigne aussi bien l'agriculture que l'écriture, les premières institutions sociales aussi. Son successeur, ***Erecthée***, roi-prêtre, fit construire le premier temple sur cet emplacement.

Nombreuses seront les cités grecques qui se doteront d'une acropole (ville haute) mais l'**Acropole** par excellence reste celle d'**Athènes**. Puis viennent les ***Achéens*** qui s'installent surtout dans le **Péloponnèse**, avec **Mycènes** comme royaume le plus important, **Athènes** étant aussi le siège d'un royaume. **Mycènes** entretient des relations suivies avec la **Crète**, beaucoup plus évoluée. L'**Acropole** athénienne se dote d'un palais royal. Cette civilisation connaîtra son apogée – et son déclin – avec la guerre de **Troie**.

A **Athènes**, le héros de cette époque est ***Thésée***. Très jeune, ce jeune prince, fils d'***Egée***, a libéré les cités grecques du tribut exigé par le monstrueux ***Minotaure*** crétois : sept jeunes gens et sept jeunes filles. C'est à ***Thésée***, brillant, intelligent et constructif, que l'on doit le synœcisme de la **Grèce** avec **Athènes** pour capitale. Il divise la population en trois classes (nobles, artisans et cultivateurs), instaure les premières institutions démocratiques et fait ouvrir la première agora au pied de l'**Acropole**.

Puis vinrent les ***Doriens*** et ***Athènes*** fut sauvée de ses envahisseurs par le sacrifice du roi ***Kodros*** qui obéit à une prédiction exigeant qu'il se fît tuer par l'ennemi. Ce fut la fin de la monarchie car nul ne fut jugé digne de succéder à un tel roi. **Athènes** continua de prospérer durant les trois siècles de l'époque géométrique. **Athènes** s'enrichit, ou plutôt, une classe, les ***Eupatrides***, qui s'oppose périodiquement au peuple. Un législateur, ***Dracon***, s'efforça de mettre fin à ces querelles en donnant ses premières lois écrites à **Athènes**. Ces lois si dures qu'on les disait écrites avec du sang furent cependant les premières de la démocratie.

Solon, d'origine aristocratique mais pauvre, avait fait fortune dans le commerce qui l'avait conduit à beaucoup voyager. Il revint auréolé de prestige à **Athènes** où l'aristocratie s'entre-déchirait et pressurait le peuple. L'Etat, affaibli, n'osait reprendre **Salamine** aux ***Mégariens***. ***Solon***, bientôt nommé archonte (594), édicta la première constitution "démocratique" : il supprima les privilèges de la noblesse et imposa aux citoyens l'exercice des droits civiques en fonction de leurs fortunes. On lui attribue, entre autres, une réforme agraire, les bases du droit fiscal, les règles de la propriété et un tribunal populaire. Puis il quitta **Athènes** pour voyager lorsque "sa" constitution eut été promulguée.

A son retour, il trouva ***Pisistrate***, qui, pour se concilier le peuple, favorisait ses distractions : il organisa de grandes fêtes à **Athènes** et les premières tragédies. Il poursuivit également les travaux d'urbanisme de ***Solon***. L'**Acropole** change de vocation : elle n'est plus la citadelle où le peuple trouve refuge quand les ***Perses*** attaquent mais une plate-forme sacrée qui se couvre de temples. A ses pieds, **Athènes** se couvre de monuments.

En 508, ***Clisthène*** fonde véritablement la démocratie athénienne : il découpe l'**Attique** en 10 dèmes et porte à 500 les membres du conseil. Nombreux furent ceux qui accédèrent au rang de citoyens et les ***Athéniens*** enthousiastes repoussèrent les ***Perses*** à **Marathon**. Les ***Perses*** revinrent et incendièrent une **Athènes** vidée de sa population. Mais ***Thémistocle*** attendait leur flotte dans le chenal de **Salamine** (480). La victoire fut écrasante et **Athènes** put enfin revendiquer la seule suprématie qui lui manquait : la mer. Elle organisa une confédération maritime et décida que le fameux trésor serait beaucoup mieux dans ses murs et, pour cela, organisa les superbes Panathénées. Ce fut alors l'apothéose d'**Athènes** sous ***Périclès***.

Bassae

A **Bassae**, nous pénétrons dans une **Grèce** relativement méconnue. Ce sanctuaire est probablement l'un des ultimes vestiges de l'influence athénienne dans le **Péloponnèse**, avant que l'austère et militariste **Sparte** n'anéantisse la cité qui préférait les sciences et les arts à l'épée.

L'histoire du peuplement du **Péloponnèse** suit de près celle de son voisin du nord, l'**Attique**, mais la différence essentielle réside dans l'époque à laquelle chacun a atteint son apothéose : la civilisation mycénienne a presque un millénaire de plus que la civilisation athénienne. Ce sont les ***Achéens***, sauvagement réduits à la misère par les ***Doriens***, qui ont imprimé au **Péloponnèse** son essor. Mais, hormis les vestiges des forteresses cyclopéennes de **Tirynthe** ou les murailles de **Mycènes**, la porte des Lionnes ou le fameux tombeau d'***Agamemnon*** et le masque d'or qui lui fut attribué par ***Schliemann*** – **Argos** ou **Pylos** ayant été complètement rasées, c'est surtout à ***Homère*** puis ***Eschyle, Sophocle*** ou ***Euripide*** que l'on doit une telle connaissance des palais achéens ou des malheurs des ***Atrides***. La guerre de **Troie** et les aventures d'***Achille, Agamemnon, Hélène, Clytemnestre, Oreste ou Electre*** ont davantage contribué à faire connaître cette civilisation que les contacts des ***Mycéniens*** avec leurs voisins. Puis les ***Doriens***, après avoir anéanti les ***Achéens***, ont créé de nouveaux centres comme **Corinthe** ou **Sparte**, instaurant une véritable thalassocratie.

La violence des *Atrides* permet difficilement d'imaginer que leurs aïeux se sont civilisés au contact de la légère civilisation crétoise et que "*la Parisienne*" avec sa robe presque froufroutante a inspiré cinq cents ans plus tôt les aïeux d'*Electre*. Et pourtant, il y a dans le **Péloponnèse** une atmosphère qui, sans les *Atrides*, pourrait être plaisante. Il y a, bien sûr, les côtes dévastées par les vents, mais il y a aussi, même au pied des acropoles mycénienne ou tirynthienne, des oliveraies parfumées où la vie quotidienne n'a rien d'oppressant.

Les ***croisés*** qui jonchèrent le sud du **Péloponnèse** d'étroits châteaux forts (notamment dans le **Magne**) avaient compris le charme de ce royaume qu'ils avaient constitué sous le nom de **Morée**. Le site de **Mistra** évoque avec beaucoup de charme cette **Grèce** franque.

Le temple d'Apollon Epikourios

Dans ce paysage de Bassae, nous retrouvons toute la rudesse des terres continentales et montagneuses. A 1 100 mètres d'altitude, ce temple évoque de façon émouvante la foi de ces peuples que les chrétiens qualifieront de païens. Le temple de Bassae fut consacré à Apollon Epikourios (Apollon le secourable) par les habitants d'une grosse bourgade voisine, Phigalie, pour remercier le dieu qu'ils avaient invoqué de les avoir protégés d'une épidémie de peste. Ce temple, l'un des mieux conservés du monde grec, bénéficia sans doute des conseils du maître d'œuvre du Parthénon, Ictinos. Il est construit en calcaire local et présente une orientation inhabituelle au nord. Il offre un mélange intéressant des trois ordres : à l'extérieur des colonnes doriques, à l'intérieur des colonnes ioniques et, séparant le naos, une unique colonne corinthienne qui est peut-être le plus ancien modèle de cet ordre. Dans ce site isolé, proche de bourgades qui ont conservé encore aujourd'hui l'atmosphère médiévale des villages balkaniques de montagne, rien ne peut laisser deviner qu'à quelques dizaines de kilomètres de là (à vol d'oiseau), Olympie ou Epidaure proposent une promenade ensoleillée à travers leurs ruines innombrables. Là, temples, théâtres, stades, tholos, statues, ex-voto... permettent d'imaginer les raffinements de cette civilisation.

Page en regard

La rue de Paris

Cette perspective de toits ne représente qu'une partie des célèbres toits de Prague. Contrairement à de nombreux autres, ils sont assez récents. Ils ont été construits dans cette grande artère percée à la limite de l'ancien ghetto démoli à l'extrême fin du XIXe siècle. Au fond, nous apercevons le clocher qui porte la célèbre horloge astronomique, puis l'Hôtel de Ville et le clocher Saint-Nicolas.

Ci-dessous

Le pont Charles IV et le château

Ce pont est souvent considéré comme le "nœud" historique de Prague. Il a été construit de 1357 à 1383 et il mesure 516 mètres de long sur 10 mètres de large. Les 30 statues ne sont que des copies des œuvres du fameux sculpteur du XVIIe siècle, Matthias Braun. Sur la hauteur veillent le château et la cathédrale Saint-Guy dont la construction, commencée en 1344 sous Charles IV, ne fut achevée qu'en 1933.

En Tchéquie

Les premiers ***Slaves*** vinrent occuper les collines de **Prague**, dominant un gué (en tchèque "prah" veut dire "seuil") sur la **Vltava**, vers le Ve siècle.

Dès 1257, les rois ***Premyslides*** devinrent vassaux de l'empire germanique et les ***Tchèques*** s'efforcèrent de résister à l'influence allemande.

Lorsque ***Charles IV*** devint empereur germanique en 1355, **Prague** connut un grand essor commercial et artistique. En 1419, les partisans de ***Jean Hus*** (mort sur le bûcher en 1415) défenestrèrent les conseillers catholiques du roi ***Venceslas IV***. La monarchie catholique l'emporta et la **Bohême** fut rattachée aux états autrichiens des ***Habsbourg***.

La ville s'embellit de splendides édifices Renaissance et la victoire catholique de la **Montagne Blanche** (1620) se traduisit dans la pierre des palais et des églises baroques de la Contre-Réforme.

Prague, "Ville dorée", est réputée pour sa beauté. Au XVIIIe siècle, ***Joseph II*** a unifié quatre agglomérations en une seule commune : **Hradcany**, le "Petit Côté" (**Malà Strana**), la Vieille et la Nouvelle Ville (**Staré** et **Nové Mesto**).

Hradcany est la ville royale, comme en témoigne son château gothique, aux façades remaniées au XVIIIe siècle, sur la colline de la rive gauche. Chaque style est représenté : roman (basilique **Saint-Georges**), gothique flamboyant (cathédrale **Saint-Guy**), renaissant (palais **Schwartzenberg**), rococo (façade du palais archiépiscopal) et surtout baroque (palais **Cernin, Notre-Dame-de-Lorette**, couvent de **Strahov**).

Baroque également le quartier du "Petit Côté" (**Malà Strana**) avec les palais de la place des **Chevaliers de Malte, Notre-Dame-de-la-Victoire, Saint-Thomas** et le palais **Wallenstein**.

Sur plus de 500 mètres, le pont **Charles** développe la beauté et la puissance de ses arches avec une chaussée légèrement infléchie. Cette œuvre gothique est ornée de 30 grandes statues baroques. Dominée par les flèches et tourelles gothiques de **Notre-Dame-de-Tyn**, la place de la Vieille Ville déploie ses constructions aux couleurs variées et harmonieuses. A chaque heure, la foule guette la ronde des personnages de l'horloge astronomique de l'**Hôtel de Ville**. **Prague** est notamment la patrie de ***Kafka*** et ***R.M. Rilke***.

AVIA

En Russie : Moscou

Capitale des tsars et de l'orthodoxie russe (la "Troisième Rome"), **Moscou** est en plein bouleversement depuis la perestroika (reconstruction) inaugurée par ***Gorbatchev***, en 1985, et accélérée par l'échec du putsch d'août 1991. L'Union des Républiques Socialistes Soviétiques a fait place à l'Union des Républiques Souveraines, la République Socialiste Fédérative Soviétique de Russie à la République de Russie. On ne parle plus de "révolution socialiste mondiale", de "socialisme dans un seul pays" ou de capitale du "camp socialiste" mais de passage à "l'économie de marché", voire au "capitalisme sauvage"...

Située au centre de la grande plaine russe sur les rives de la **Moskova**, affluent de l'**Oka**, entre les bassins de la **Volga** et du **Don**, en lisière de forêt, **Moscou** n'est mentionnée dans les annales russes qu'en 1147 comme simple bourgade de pêcheurs. En 1156, le prince ***Iouri Dolgorouki***, descendant du chef varègue ***Rurik***, fit dresser la palissade de bois d'une première forteresse (kreml, en russe) qui donna son nom au **Kremlin**. La ville fut dévastée par les princes de **Riazan** en 1176 et par les ***Tatars*** en 1237.

La prise de **Kiev** (1240) par les envahisseurs mongols ouvre à **Moscou** la possibilité d'un développement historique. ***Ivan Ier Kalita*** décide de faire de **Moscou** sa capitale politique et religieuse en 1328. Il y fait bâtir la cathédrale de l'Assomption (**Ouspianski Sobor**). Quant aux ***Tatars***, ils sont vaincus à ***Koulikovo*** (le Champ des Bécasses) par ***Dimitri Donskoï***, en 1380.

Le long de la Moskova

Derrière les murs du Kremlin qui s'étendent sur deux kilomètres de long dans une espèce de triangle, on constate une étonnante profusion de chefs-d'œuvre : le grand palais, la cathédrale de l'Annonciation, la cathédrale de l'Archange et le grand clocher d'Ivan le Grand. Dissimulée derrière ce dernier, mais tout aussi proche, la cathédrale de l'Assomption, construite par le Bolonais Fioravanti sur l'ordre de Ivan III entre 1475 et 1479.

Au XVIe siècle, ***Vassili III*** fait appel à des architectes italiens pour édifier les cathédrales du **Kremlin**. Des marchands européens, en particulier allemands, s'installent dans les quartiers neufs de **Kitaï Gorod** (la "ville chinoise") et de **Bielyi Gorod** (la "ville blanche"). ***Ivan IV le Terrible*** brise les séditions des boyards, les chefs de la noblesse russe, repousse les ***Tatars*** jusqu'en **Crimée** et entreprend la conquête de la **Sibérie**. Les ***Polonais*** suscitent un faux tsar qui se fait passer pour ***Dimitri***, fils pourtant décédé d'***Ivan le Terrible***, et s'emparent de **Moscou**. Une insurrection conduite, en 1612, par le boucher ***Minine*** et le prince ***Pojarski*** chasse ces soldats catholiques polonais au nom de l'orthodoxie russe.

Avec ***Michel Romanov***, élu tsar en 1613, c'est une nouvelle dynastie qui est fondée. ***Pierre le Grand***, qui déteste **Moscou**, n'hésite pas à la décapitaliser, en 1712, au profit d'une nouvelle ville : **Saint-Pétersbourg**, toute proche de la mer **Baltique**, tournée vers l'Occident… Les tsars et tsarines continuent à se faire couronner à **Moscou** mais ils abandonnent la ville aux marchands.

La Grande Armée de ***Napoléon*** l'occupe en 1812 mais doit ensuite reculer devant les flammes d'un incendie qui détruit les trois quarts de ses habitations.

Le superbe palais du **Kremlin** est reconstruit en 1839, puis toute l'ancienne cité et de nouveaux quartiers continuent à s'étendre. La révolution de 1905 y voit l'échec d'une première insurrection. Celle de 1917 est victorieuse mais après des combats plus longs que ceux de **Petrograd**. Le gouvernement soviétique décide de refaire de **Moscou** la capitale du pays, le 12 mars 1918, afin d'y être plus à l'abri d'une future menace de l'armée allemande. En 1941, la Wehrmacht hitlérienne n'est stoppée qu'à moins de trente kilomètres du **Kremlin**.

Moscou va alors vivre la sombre épopée de la capitale du communisme. La brutalité avec laquelle ce système s'est effondré a prouvé que les prévisions des experts comportaient bien des failles.

Saint-Pétersbourg

Victorieux des ***Suédois***, désireux d'affirmer la présence de l'empire russe sur la mer **Baltique** et de l'ouvrir aux influences européennes occidentales, ***Pierre le Grand*** ordonna la construction de la forteresse **Pierre-et-Paul** sur un îlot de la **Neva** en 1703. Celles de l'Amirauté et de **Cronstadt** vinrent compléter le dispositif militaire.

Il fit appel à des architectes étrangers : le Suisse ***Domenico Trezzini*** (forteresse **Pierre-et-Paul**, monastère **Sainte-Trinité-Alexandre-Nevski**) et le Français ***Leblond*** qui traça le plan de la cité nouvelle en s'inspirant de **Versailles** (perspective **Nevski**).

Le tsar n'hésita pas à mobiliser des centaines de milliers de soldats, de prisonniers suédois et turcs et de déportés finlandais et estoniens pour planter les pilotis par millions dans la vase des marais et transporter les pierres des édifices. Par oukases, il rassembla des populations venues de tout l'empire, interdit de construire ailleurs des maisons de pierre et obligea tout seigneur ayant 500 serfs à édifier là une demeure en pierre de deux étages.

Et grâce à ces pratiques quelque peu autoritaires, il réussit à bâtir la plus belle ville de **Russie**, devenue capitale en 1712, détrônant **Moscou**. **Saint-Pétersbourg** fut bientôt capable de rivaliser avec **Venise**, **Amsterdam** ou **Paris**. Une brillante façade pour un empire qui se voulait désormais ouvert aux plus récents progrès de la civilisation mais cachait mal la masse énorme d'un pays arriéré, restant à mi-chemin entre **Europe** et **Asie**.

La tsarine ***Elisabeth***, fille de ***Pierre le Grand***, demanda à ***Rastrelli***, un architecte d'origine italienne, la construction du palais **Catherine** à **Tsarskoïe Selo** (1756) et celle du **palais d'Hiver** (1762), chefs-d'œuvre du baroque russe. Elle fit agrandir **Petrodvorets**, le **Versailles** des tsars. ***Catherine II*** adopta le style néo-classique : **Petit Ermitage** rajouté au palais **d'Hiver** (***Vallin de La Mothe***), théâtre de **l'Ermitage** et palais **Alexandre** (***Quarenghi***) et palais de **Tauride** (***Starov***).

La cathédrale de **Kazan** ***(Voronikhine)*** fut réalisée sous ***Alexandre Ier*** et celle de **Saint-Isaac** (***Richard de Montferrand***) sous ***Alexandre II***.

Saint-Pétersbourg devint **Petrograd** en 1914 et **Léningrad** en 1924. En 1991, un référendum lui a rendu son nom d'origine.

Le palais Catherine

Ce somptueux palais est situé dans les environs de Saint-Pétersbourg, à Tsarkoïe Selo (le village du tsar) qui fut baptisé Pouchkine par les Révolutionnaires en hommage au poète qui suivit les cours du lycée impérial. Il est dédié à Catherine Ier, la femme de Pierre le Grand auquel elle succéda deux ans. Son auguste époux lui avait offert ce domaine dont elle commença l'aménagement avant même que le fastueux. Rastrelli ne construisît ce palais sur 300 mètres de longueur.

En Turquie

La **Turquie** a entre trois mille et quatre mille ans d'histoire. Après l'empire hittite, les civilisations grecque, romaine, byzantine et ottomane se sont succédé au cours des siècles en **Anatolie (Asie Mineure)**.

Les ***Grecs*** étaient installés dès l'an 1000 avant notre ère. Ils nous ont laissé les sites de **Milet, Ephèse, Samos, Priène, Pergame** et **Troie. Byzance** fut fondée sur le **Bosphore** au VIIe siècle av. J.-C.

Puis l'**Anatolie** devint romaine. ***Constantin le Grand*** (324-337) rétablit l'unité de l'empire, se convertit au christianisme et fonda une nouvelle capitale, **Constantinople**, la deuxième **Rome**, sur le site de l'ancienne **Byzance**. L'empire romain d'Orient était né et allait devenir l'empire byzantin. Avec l'empereur ***Justinien*** (527-565), **Byzance** connut son apogée. Il construisit de somptueux édifices religieux et consacra la splendide basilique **Sainte-Sophie (Haghia Sophia)** le 26 décembre 537, chef-d'œuvre de l'architecture byzantine.

Aujourd'hui, **Sainte-Sophie** présente un curieux mélange de lieu de culte initialement chrétien devenu une mosquée prestigieuse. Sous la splendide coupole centrale décorée de mosaïques apparaissent quatre immenses panneaux portant les versets du Coran.

Des nomades ***turcs***, originaires d'**Asie centrale**, s'étaient répandus en **Asie Mineure**. Le dernier empereur d'Orient, ***Constantin XI Paléologue***, succomba en défendant **Constantinople** contre une autre dynastie turque, les ***Ottomans***, en 1453. Ce fut la fin de l'empire romain d'Orient. ***Mehmet II le Conquérant*** (1451-1481) fit de **Constantinople** une capitale de l'Islam avec pour nouveau nom : **Istanbul**. Il y construisit des mosquées, des palais (**Topkapi**), des fontaines.

La **Mosquée** du ***sultan Ahmet*** (**Mosquée Bleue**) est sans aucun doute la plus belle d'**Istanbul**. Expression même du grandiose, elle fut édifiée entre 1609 et 1616, face à **Sainte-Sophie**. De magnifiques faïences ornent ses murs. Avec ***Soliman le Magnifique***, l'empire ottoman atteignit sa plus grande expansion.

Malgré le déclin de l'empire, **Istanbul** est toujours restée une ville fascinante. Aujourd'hui, la capitale est **Ankara** mais c'est **Istanbul** qui attire encore les visiteurs du monde entier. Elle reste le symbole d'une ville-carrefour entre l'Occident et l'Orient.

Istanbul : Topkapi

Cette pièce appelée "Salle des Fruits" date des premières années du XVIIIe siècle. A elle seule, elle pourrait témoigner du luxe de ce palais et de son harem qui fit tant fantasmer l'Occident. Et, pourtant, cet immense palais, fierté du maître de l'Empire ottoman, était loin d'être un lieu de rêves et de voluptés. Choisi depuis la fin du XVIe siècle comme lieu de résidence du sultan, ce palais, sans cesse embelli, bénéficiait d'une situation stratégique : une hauteur à la pointe de la Corne d'or sur le Bosphore. Siège du pouvoir, il fut par là même le lieu des intrigues, des complots, des rivalités et des assassinats et ses enceintes furent pour ses milliers d'occupantes plus infranchissables que les murs d'une prison, il leur était totalement interdit d'en sortir. Et pour quelques favorites qui eurent le bonheur de rencontrer le sultan dans cette salle du harem, innombrables sont les malheureuses qui restèrent totalement désœuvrées, cloîtrées dans cette forteresse

Au Liban

Nous avons choisi d'aborder l'**Asie** avec les ruines romaines de **Baalbek** autant pour rappeler comme ce pays est proche de l'**Europe** que parce qu'il fut un territoire exceptionnellement prospère dès le IIIe millénaire av. J.-C. Longue bande côtière de la rive orientale de la **Méditerranée**, il représentait le débouché maritime et commercial de nombreuses civilisations asiatiques.

Au départ, il y eut les ***Cananéens*** dont l'ancêtre éponyme, ***Canaan***, était le petit-fils de ***Noé*** et le fils de ***Cham***. Puis viennent les ***Phéniciens*** et, avec eux, la puissance commerciale la plus importante de l'Antiquité : ils s'organisent en cités-états rivalisant entre elles mais alliées dès que se profile un ennemi. **Byblos, Sidon** et **Tyr** – dont ***Hérodote*** situe la fondation en 2750 av. J.-C. – sont les principales cités. Les ***Phéniciens*** dominent bientôt la **Méditerranée**. Ce sont les échanges avec l'**Egypte** qui sont les plus importants.

L'invasion des ***Hyksôs*** renverse les rôles. **L'Egypte**, qui finit par les vaincre, vassalise la **Phénicie** qui n'arrête pas pour autant son développement : on date de cette époque la naissance de l'alphabet phénicien. Puis des combats internes affaiblissent l'**Egypte** et les ***Phéniciens*** retrouvent leur indépendance. Une cité domine désormais les autres : **Tyr**. Les marins phéniciens jonchent la **Méditerranée** de comptoirs et en établissent sur l'**Atlantique**. Mais l'**Assyrie**, de plus en plus puissante, cherche un débouché sur la mer et la **Phénicie**, plutôt que de se ruiner en guerre, achète sa paix à ***Selmanazar III*** ; malgré cela, les ***Assyriens*** se comportent en despotes, ce qui pousse une princesse originaire de **Tyr**, ***Didon***, à partir vers l'Occident créer une cité nouvelle (**Kart Hadasht**), près de la colonie d'**Utique**. C'est en fait la mort de l'empire phénicien au profit de **Carthage**.

Il faudra attendre l'arrivée des ***Romains*** pour que les ***Phéniciens*** retrouvent leur ancien rayonnement. Sous l'égide de ***Jupiter***, **Byblos, Tyr, Béryte** (la future **Beyrouth**), **Baalbek** devenue **Héliopolis**, connaissent une prospérité exceptionnelle. Avec la fin de la "Pax Romana", ce pays connaît à nouveau les troubles des occupations successives. Plus ou moins christianisé dès le passage de ***saint Paul***, il est conquis au VIIe siècle par les ***Arabes*** qui se déchirent dans des luttes intestines et redevient chrétien avec les ***Francs***. Les ***Mamelouks*** d'**Egypte** les chassent avant d'être détrônés par les ***Ottomans*** en 1516.

En 1860, les ***Druzes***, musulmans, menacent les chrétiens et ***Napoléon III*** envoie un corps expéditionnaire. En 1926, le **Liban** devient une république et les ***Libanais*** connaissent un essor économique qui rappelle celui de leurs ancêtres phéniciens. Mais, en 1975, le **Liban** se retrouve au cœur des problèmes du **Proche-Orient**.

Page en regard
Baalbek : le temple de Jupiter
C'est dans cette ancienne cité phénicienne où l'on adorait Baal que les Romains élevèrent au maître des dieux l'un des temples les plus gigantesques. L'accès au temple était lui-même d'une rare majesté : l'escalier qui y menait était d'une largeur égale à celle du temple. Aujourd'hui, il ne reste que ces 6 colonnes hautes de 20 mètres et d'un diamètre de 2,20 mètres pour témoigner du gigantisme voulu par les Romains pour honorer Jupiter.

Ci-dessus
Le temple de Bacchus
Ce sanctuaire est exceptionnellement bien conservé mais son appellation est quelque peu approximative : elle provient de quelques sculptures en l'honneur du dieu du vin. Il semble que ce temple ait été avant tout un lieu de culte assez ouvert où l'on honorait aussi bien Baal que Vénus, Mercure ou Bacchus

En Israël

L'arche de Salomon
Dans le désert du Néguev, là où Salomon exploita des mines de cuivre et d'étain, l'érosion semble s'être muée en architecte. Trois "œuvres" se détachent avec éclat : les "piliers", gigantesques roches rouges, la "table", étonnant champignon qui semble une table de pierre et "l'arche" que nous admirons ici.

Ci-dessous
Jérusalem
Cette perspective de l'ancienne capitale de Salomon avec les coupoles dorées de l'église russe, le mur crénelé de Salomon le Magnifique et la Coupole dorée du Rocher d'où Mahomet se serait élevé dans les cieux pourrait à elle seule résumer les déchirements suscités par l'attachement porté par les trois religions monothéistes à la Ville Sainte.

Au cœur des montagnes de **Judée**, dans un paysage où le vert s'allie au mauve et au rose, **Jérusalem** mêle synagogues, mosquées et églises. Mais elle évoque avant tout pour des millions de chrétiens le **Saint-Sépulcre** où le corps du Christ aurait été enseveli. Cette "Terre Sainte" s'étend à l'extrémité du croissant fertile, entre **Jourdain** et **Méditerranée**. Son nom, qui viendrait de ***Shalem***, un dieu du peuple sémitique des ***Amorites***, signifie en hébreu "la paix apparaîtra".

Son histoire reflète pourtant les difficiles accords autour de la foi entre les trois grandes religions monothéistes : juive, musulmane et chrétienne.

C'est vers le XVIe siècle av. J.-C. qu'un peuple venu de **Chaldée**, les ***Hébreux***, s'installe en pays de **Canaan**. Certains poursuivent leur route jusqu'à l'**Egypte** où ils sont asservis par les pharaons. Ici commence à s'entrecroiser histoire et récits bibliques. ***Moïse***, à la fin du XIIIe siècle av. J.-C., investi d'un message divin, guide les siens vers la terre promise qui lui est apparue, cette terre des ***Cananéens***. C'est ainsi que la Bible rapporte l'exode hors d'**Egypte** et la traversée du désert.

Les ***Hébreux***, divisés en tribus, s'implantent donc autour de la **mer Morte** et l'une de ses fractions, les ***Israélites***, élit vers l'an 1000 av. J.-C. son premier roi : ***Saül***. Son successeur, ***David***, fait de **Jérusalem** sa capitale peu de temps après.

Il y installe l'Arche d'Alliance, qui renferme les Tables de la Loi confiées à ***Moïse*** par ***Yahvé***. ***Salomon***, son fils (975-935 av. J.-C.) y fait bâtir, par 150 000 ouvriers, le **Temple** de la première religion monothéiste de l'Histoire. Ce roi à la sagesse légendaire aurait marqué la tradition islamique sous le nom de ***Soliman***.

Mais **Jérusalem** est rasée par ***Nabuchodonosor*** (587 av. J.-C.) et sa population déportée à **Babylone**. Le roi perse ***Cyrus*** autorise le retour du peuple juif (538 av. J.-C.) et la reconstruction de la ville et du **Temple**. Après sa conquête par ***Alexandre le Grand***, les ***Maccabées*** dirigent la révolte contre l'occupation grecque et fondent le royaume juif de la dynastie des ***Asmonéens***. ***Pompée*** prend d'assaut **Jérusalem** en 63 av. J.-C. et la fait passer sous la domination romaine. Allié des ***Romains***, ***Hérode Ier*** reconstruit le **Temple** et lui redonne la splendeur de celui de ***Salomon***. Il n'en reste plus que le soubassement : ce sont les larges blocs de pierre du **mur des Lamentations** devant lequel les Juifs viennent se recueillir.

Issue du judaïsme, une nouvelle religion monothéiste, le christianisme, lui fait concurrence et affirme sa vocation universelle en convertissant des non-juifs. Elle fait, elle aussi, de **Jérusalem** sa Ville Sainte, celle de la Passion du Christ.

Mais les Juifs se révoltent contre **Rome.** ***Titus*** détruit **Jérusalem** en 66. ***Hadrien*** la rase en 135, édifie **Aelia Capitolina** sur ses ruines et interdit aux Juifs cette nouvelle cité romaine.

Constantin consacre la victoire du christianisme en 326, fait bâtir l'église du **Saint-Sépulcre** et organise **Jérusalem** en centre de pèlerinage de la nouvelle religion officielle de l'empire. La crypte de l'église **Saint-Jean-Baptiste**, la chapelle **Saint-Georges** et l'église **Saint-Etienne** témoignent de l'époque byzantine.

Une troisième religion monothéiste, l'islam, la proclame à son tour Ville Sainte (**Al-Quis**) lors de la conquête arabe de 638. Avec son dôme doré, la **Coupole du Rocher** évoque le sacrifice d'***Isaac*** par ***Abraham*** et le lieu d'où ***Mahomet*** se serait élevé au ciel. La mosquée **Al-Aqsa** est plus récente, plusieurs fois remaniée et dotée d'une coupole d'argent.

L'église du **Saint-Sépulcre**, reconstruite au XIIe siècle lors des Croisades et du royaume latin de **Jérusalem** (1099-1244) est partagée entre les diverses chapelles chrétiennes : grecque orthodoxe, catholique romaine, arménienne, copte, etc... Divisée en deux lors de la fondation d'**Israël** en 1948, **Jérusalem** est devenue entièrement israélienne en 1967.

Le mur des Lamentations

Construit avec le soubassement du Temple de Salomon, ce mur est le symbole par excellence de l'attachement du peuple juif au sol de Jérusalem.

En Iran

Page en regard

Un soldat perse

Le long des escaliers si prestigieux que les dignitaires pouvaient les gravir à cheval apparaissent, sculptés de profil en ronde-bosse, 10 000 personnages. Les Perses et les Mèdes se distinguent par leur coiffure : les premiers, les vainqueurs, portent la tiare que l'on voit ici, les seconds, vaincus, portent un bonnet arrondi.

Ci-dessous

L'ensemble de Persépolis

Cyrus fonda la dynastie des Achéménides, mais c'est à Darius que l'on doit le fabuleux site de Persépolis qui fit vraiment le prestige de cette dynastie. Les nombreux portiques que l'on voit ici sont les vestiges du palais de Darius tandis que les immenses colonnes ioniennes sont ceux de l'Apadana. Ces colonnes supportaient jadis un plafond de cèdre au sommet de leurs 20 mètres de hauteur.

Persépolis : peu de sites possèdent un tel pouvoir évocateur. **Persépolis** était la capitale des ***Achéménides***, dynastie fort puissante à l'origine de la création de l'immense empire perse, le plus vaste de l'Antiquité. Au faîte de sa gloire, l'empire couvrait des territoires allant de la **vallée de l'Indus** à l'est, à la **Thrace** à l'ouest.

A l'aube du Ve siècle avant notre ère, ***Darius***, alors roi de **Perse**, décida de se faire construire une capitale digne de sa puissance et, pour ce faire, il convoqua les meilleurs artistes de tout l'empire pour édifier **Persépolis** (la Ville des Perses). Son successeur, ***Xerxès Ier***, y apporta maintes retouches et acheva certains travaux laissés inachevés par ***Darius***. Cependant, après une nuit d'orgie, raconte ***Plutarque, Alexandre le Grand*** incendia la ville, ne laissant qu'un champ de ruines dévasté. **Persépolis** avait vécu deux siècles mais sa splendeur passée était telle qu'encore aujourd'hui elle symbolise toute la magnificence et le raffinement.

Situé dans la plaine de **Merdacht**, en territoire iranien, le site de **Persépolis** conserve toujours les traces de l'énorme travail de terrassement nécessaire à son édification. Il s'agit, en fait, d'un somptueux palais constitué de multiples monuments auquel on accède par un escalier d'apparat si large que même les chevaux pouvaient l'emprunter. La porte de ***Xerxès***, gardée par deux taureaux ailés, et la porte monumentale conduisent, de part et d'autre, aux différents édifices dont les plus importants restent : les palais de ***Darius*** et de ***Xerxès***, le **Hall des 100 colonnes** et l'**Apadana**. C'est ici que les souverains recevaient les tributs apportés par les peuples vaincus pour que chacun puisse se rendre compte par lui-même de l'immense prestige et de la puissance réelle de l'empire.

On dit qu'au Nouvel An, jour de Norouz, dédié au dieu de la Lumière ***Ahura-Mazda***, les fêtes étaient si somptueuses que des cortèges venus de vingt-huit nations différentes défilaient devant le souverain perse, apportant présents et cadeaux originaires des quatre coins du monde. Ce sont ces cérémonies qui sont représentées sur certains bas-reliefs sculptés sur les murs de **Persépolis** avec, en tête, ***Mèdes*** et ***Perses*** suivis de délégations libyennes, égyptiennes, éthiopiennes et autres.

Mais de toute cette splendeur qui fit de **Persépolis** une des villes les plus remarquables de toute l'Antiquité, il ne reste que quelques reliefs et bâtiments, témoins de toute la puissance de l'ancien empire des ***Achéménides***. C'est au ***Shah d'Iran*** que l'on doit la restauration de **Persépolis**, dans les années 1970.

Page en regard
Boukhara : Tchor Minor
Cette medersa, avec ses quatre minarets et son nid de cigognes, symbolise souvent Boukhara, mais elle est très récente (XIXe siècle) comparée aux autres monuments de cette cité millénaire.

Ci-dessous
Khiva : Kunya Ark
Khiva représente un exemple unique de ville musée musulmane où se mêlent des bâtiments civils, militaires et religieux. Ici, la porte d'entrée de la citadelle (Ark).

En Asie centrale

Différentes civilisations se développèrent en **Asie centrale**. Des tribus de nomades et de pasteurs sédentaires s'opposèrent souvent au cours de l'histoire.

Aux VIe et VIIe siècles, les tribus turques y déferlèrent ainsi que les armées arabes qui imposèrent l'islam, éliminant les autres religions qui existaient à savoir le bouddhisme, le zoroastrisme, le christianisme nestorien et le manichéisme.

Du IXe au XVe siècle de nombreux états féodaux vont se succéder. La dynastie perse des ***Samanides*** (819-999) englobait la **Transoxiane** et le **Khorasan** et fit de **Samarkand** et de **Boukhara** (sa capitale), des centres d'art et de culture.

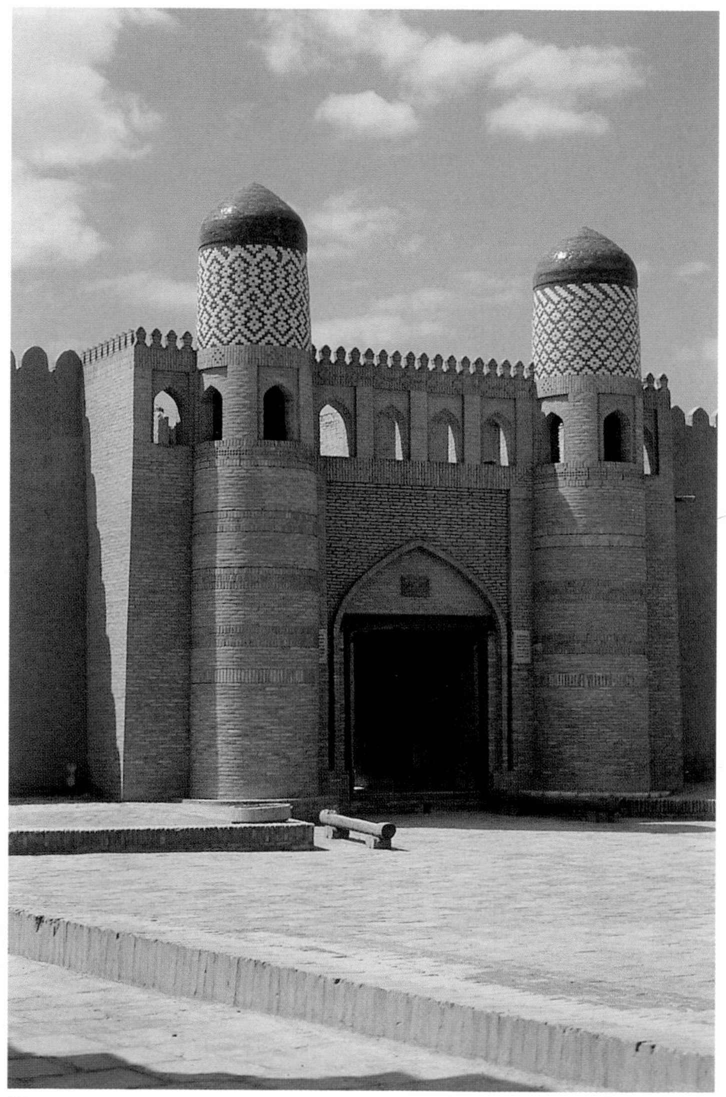

Aux XIe et XIIe siècles, la dynastie turque des ***Seldjoukides*** s'installa dans la région de **Boukhara** et régna sur de vastes domaines. Les ***Khorezmchakhs*** furent une dynastie musulmane indépendante du **Turkestan**, le long du fleuve **Amou-Daria**.

C'est au XIIIe siècle que les ***Mongols***, nomades, quittèrent leurs steppes de **Mongolie** à la conquête d'un immense empire. Ces cavaliers barbares, avec à leur tête ***Gengis Khân***, renversèrent tous les royaumes qu'ils rencontraient dans leur avance vers l'Ouest. Ils furent rejoints par des tribus turques. Les ***Mongols*** qui pratiquaient un chamanisme ancestral découvrirent lors de leurs raids trois grandes religions : le bouddhisme, l'islam et le christianisme.

Temudjin, prince mongol, devint le plus grand conquérant de l'histoire. Après avoir soumis des tribus voisines, il se fit proclamer Chef universel et régna sous le nom de ***Gengis Khân*** dès 1206. Avec son armée de 20 000 hommes, il entreprit la conquête d'un immense empire qui, à sa mort, s'étendait de l'**océan Pacifique** à l'ouest de **l'Asie**. ***Gengis Khân*** était cruel et impitoyable. Grand organisateur et prodigieux guerrier, il n'hésitait pas à massacrer des populations, à incendier des villes. Ses hordes déchaînées commirent les pires atrocités et de terribles destructions. En 1211, elles envahirent la **Chine du Nord** et, en 1215, **Pékin** tomba, livrée au pillage puis incendiée.

Entre 1216 et 1223, l'empire musulman du **Khorezm**, territoire situé le long du fleuve **Amou-Daria**, au **Turkestan**, fut détruit. En 1220, ***Gengis Khân*** accompagné de son fils ***Toloui*** atteignit **Boukhara** puis marcha sur **Samarkand**. Ces deux villes furent incendiées et rasées, la population violentée, les artistes et artisans épargnés mais déportés.

D'autres villes furent assiégées, vidées de leurs habitants, détruites. A **Merv**, les hommes, les femmes et les enfants furent tous décapités en 1221. Les envahisseurs poursuivirent leurs raids sanguinaires autour de la **mer Caspienne**, en **Perse**, en **Géorgie**, au **Caucase**, en **Crimée**. ***Gengis Khân*** mourut au cours d'une campagne en **Chine** en 1227.

1968

Ci-dessus
Samarkand : la médersa Chir d'Or
Elle tient son nom des deux tigres qui décorent sa façade. C'est l'un des très rares cas de représentation non végétale de l'art musulman. C'est la plus imposante des trois médersas de la place du Réjistan.

Ses successeurs continuèrent son œuvre dévastatrice. Ses quatre fils se partagèrent l'empire et des expéditions sanglantes furent menées contre les ***Bulgares***. En **Russie**, à **Riazan**, la population fut massacrée, **Moscou** saccagée, **Kiev** détruite en 1240. Le petit-fils de ***Gengis Khân, Balu***, dirigea l'invasion de l'**Europe**.

Au milieu du XIVe siècle, l'arrivée au pouvoir de ***Tamerlan*** (***Timour Lang*** ou ***Timour le Boîteux***) marqua la fin des conquêtes mongoles. Son empire vaste et puissant s'étendait du sud de la **Russie** jusqu'en **Mongolie** et de l'**Inde du Nord** jusqu'en **Perse**. Il renversa la ***Horde d'Or***, fondée par ***Batu*** vers 1242. ***Tamerlan***, musulman fanatique, interdit les religions autres que l'islam.

Samarkand devint la capitale de son empire, la "perle rare du monde". Son petit-fils, ***Oulougbeg***, poursuivit les constructions et les embellissements des cités caravanières comme **Boukhara** ou **Samarkand**.

Ci-contre

Un minaret de Chir d'Or

Ce merveilleux travail de la mosaïque évoque la splendeur de cette ville auréolée de tant de mystères. La Marakanda des Grecs du VIe siècle av. J.-C. est devenue arabe au VIIe siècle ap. J.-C. Au XIVe, Tamerlan en a fait la fastueuse capitale de son empire mongol où l'islam tenait une place essentielle.

Page en regard, bas

Détail de Chir d'Or

Les païens étaient des idolâtres, inondant leur vie quotidienne de représentations de leurs divinités. Les juifs ne s'étaient jamais permis de donner un visage à Yahvé, les chrétiens, au début du christianisme, non plus, mais au bout de quelques siècles, ils décorèrent leurs églises des saints et de Jésus. Pour se démarquer du christianisme et affirmer sa force austère, l'islam bannit toute représentation humaine, alors que le Coran n'avait interdit que la représentation du visage de Dieu. Les artistes se consacrèrent, de ce fait, à la reproduction de motifs végétaux et des paroles du Coran, avec un merveilleux talent. La pierre, le marbre et la céramique sont parmi les matériaux les plus employés. Par la suite, les Perses, les Mongols et les Moghols, puis les Ottomans suivirent le Coran à la lettre dans leurs conceptions artistiques : seul le visage de Dieu ne fut pas l'objet de leurs superbes peintures.

En Inde : le Taj Mahal

L'empire moghol de l'**Inde** fut fondé en 1526 par l'empereur ***Babur***, descendant de ***Tamerlan*** et de ***Gengis Khân, Shah Jahan***, le cinquième empereur de la dynastie des ***Grands Moghols***, régna sur un empire s'étendant de l'**Himalaya** au nord de l'**Inde** au **Dekkan** au sud et de l'**Afghanistan** et du **Baluchistan**, au nord-ouest, au **Bengale** à l'est de 1627 à 1658. L'histoire dit qu'il adorait son épouse, ***Mumtaz-Mahal*** (l'"Elue du Palais"). Les faits l'ont confirmé. Celle-ci mourut en couches à l'âge de 37 ans, après avoir donné naissance à quatorze enfants (dont sept ont survécu). ***Shah Jahan*** eut tant de chagrin, qu'il décida en 1632, après deux ans de deuil, de construire le plus beau mausolée du monde en hommage à sa beauté et à son amour. Cette œuvre splendide élevée en l'honneur de sa sultane adorée témoignage destiné à défier le temps abrite les monuments funéraires des deux époux. Il fallut seize ans pour l'achever (1632-1648).

Joyau en lui-même, monument de gloire et de perfection, le **Taj Mahal d'Agra** aux dimensions colossales est un chef-d'œuvre de majesté, de symétrie et de légèreté. Des architectes perses et ottomans réalisèrent ce projet grandiose et vingt mille ouvriers y ont travaillé pendant près de vingt ans, auxquels se sont joints les meilleurs artisans de l'époque y compris d'**Europe**. Les matériaux utilisés venaient de l'**Inde** mais aussi de **Perse**, de **Russie** et du **Tibet** : marbre blanc et marbre noir, pierres semi-précieuses (opale, turquoise, saphir, etc.), grès rouge.

L'ensemble du monument offre une composition harmonieuse, une pureté et une rigueur quasi-mathématique. Le **Taj** comprend les jardins, le portail d'entrée, le mausolée et deux édifices semblables et symétriques de part et d'autre : une mosquée à l'ouest et une salle de repos pour les pèlerins à l'est.

Les jardins strictement carrés et regroupés par quatre sont aménagés selon la tradition moghole, sur une superficie d'environ 17 hectares.

Le portail d'entrée et les deux édifices à l'est et à l'ouest combinent grès rouge et incrustations de marbre blanc. Le portail est élégamment décoré de citations du Coran. Une fois le portail franchi, on découvre le **Taj Mahal** dans toute sa splendeur. Le mausolée est érigé sur une terrasse en forme de carré d'environ 100 mètres de côté, en grès rose et marbre blanc avec quatre minarets d'angle en marbre blanc veiné de noir, hauts de 40 mètres.

Le dôme gigantesque et gracieux, avec ses 18 mètres de diamètre en forme de bulbe, aurait été dessiné par ***Ismail Khan Rumi***, peut-être originaire de **Constantinople**. Il est surmonté d'un pinacle à boucles dorées sur lequel pointe une flèche coupant un croissant et s'élève sur une structure octogonale dont les côtés sont inégaux. La hauteur totale du bâtiment – masse cubique – atteint 62 mètres. Cet ensemble monumental se reflète dans les eaux du grand bassin, des canaux et de la rivière **Yamuna**, avec un effet de perspective grandiose.

Ce chef-d'œuvre universellement reconnu du raffinement moghol s'inspire de l'architecture perse. Chaque façade du mausolée est identique et comprend un iwan central, et quatre plus petits situés de part et d'autre sur deux étages. Un iwan est une sorte de salle voûtée en berceau brisé ouverte sur un seul côté. Ces iwans magnifiquement décorés de dessins géométriques et de motifs floraux en pierres semi-précieuses sont en marbre blanc de **Makrana**, connu pour la finesse de son grain. Aux quatre angles des quatre façades correspondent quatre petits kiosques, de forme octogonale dans le style indien, qui accentuent la perspective générale du **Taj**.

L'intérieur du mausolée présente aussi une décoration admirable qui laisse au visiteur une sensation d'émerveillement inoubliable. Des salles et des pavillons délicatement décorés de marbre ciselé éclatent de richesse. La grande pièce centrale, dont le dôme intérieur abrite les deux cénotaphes de ***Mumtaz-Mahal*** et de ***Shah Jahan***, communique avec les quatre petites pièces d'angle.

L'architecture du **Taj Mahal** réunit les traditions de l'**Iran**, de l'**Asie centrale** et de l'**Inde**. Le mausolée le plus célèbre du monde offre le raffinement dans les décors, la parfaite harmonie des lignes, la sobriété et la délicatesse de l'ornementation. Elle est la symbiose des cultures musulmane et hindoue, pour laquelle les ***Moghols*** ont tant œuvré. Cette merveille de l'art moghol s'impose à tous comme le plus beau requiem de marbre blanc.

Agra : le Taj Mahal

C'est à la mort prématurée de la jeune épouse d'un souverain que l'on doit cet extraordinaire mausolée de marbre d'une finesse exceptionnelle. La blancheur même du monument évoque la douleur : le blanc est couleur de deuil en terre d'Islam. Mais devant une telle beauté, on oublie le drame du jeune souverain pour ne plus admirer que ce chef-d'œuvre de l'art moghol dont, justement, la blancheur contraste avec les traditionnelles représentations de l'art dont les Moghols sont les maîtres incontestés : les miniatures.

Khajuraho

Les temples de **Khajuraho** ont été construits près de **Madhya Pradesh** en **Inde centrale** entre le IXe et le XIIe siècles par les souverains ***rajputs*** de la dynastie des ***Candela***, qui prétendaient être les descendants du lieu ***Lune***.

Il reste un ensemble magnifique de 22 temples sur les 85 initiaux, consacrés aux deux principales religions de l'**Inde** médiévale : l'hindouisme et le jaïnisme. L'art des ***Candela*** s'exprime par l'abondance des sculptures à l'extérieur comme à l'intérieur des sanctuaires. Parmi les dieux représentés avec plusieurs bras, symboles de leurs multiples pouvoirs : ***Vishnou***, le dieu protecteur, ***Shiva***, le dieu destructeur, ***Sûrya***, le dieu du soleil. Aux côtés de ces divinités, dansent les apsaras, adorables nymphes sensuelles et des animaux plus ou moins fantastiques les accompagnent. Les célèbres scènes "érotiques" des ***mithuna***, ces couples d'amoureux souvent enlacés, ont étonné, voire choqué les premiers visiteurs.

Aujourd'hui, tout le monde accepte de voir dans ces chefs-d'œuvre l'inspiration de rites tantriques : accéder à la transcendance par différentes techniques d'éveil du corps et de l'esprit avec l'aide d'un gourou ou "maître-spirituel". La beauté et la sensualité des personnages qui animent les murs et les piliers de ces temples illustreraient aussi le thème fondamental de la philosophie hindoue : la recherche d'une union avec l'univers par la voie mystique.

Les temples se répartissent en trois groupes principaux : l'un à l'ouest, l'autre à l'est et le troisième au sud. A l'ouest se situe l'ensemble le plus important et le plus beau avec notamment le temple de **Lakshmana** dédié à ***Vishnou*** et les temples de **Kandariya** et **Mahadeva** à ***Shiva***. A l'est, autour du village, trois temples hindous et quatre sanctuaires ***jaïns*** dont le très beau temple de **Parshvanath**, aux sculptures élégantes et aux décorations raffinées. Au sud, les temples hindous de **Duiadeo** et de **Chaturbhuja** consacrés respectivement à ***Shiva*** et à ***Vishnou***.

Tous les temples de **Khajuraho** présentent une harmonie entre architecture et sculpture, où se mêlent le profane et le sacré, rappelant sans cesse le mythe hindouiste de la Création du monde. Dans l'univers créé, le ***Brahman***, l'Absolu est représenté par une seule tête à trois visages : ceux de ***Brahmâ*** le créateur du monde, de ***Vishnou*** le conservateur qui intervient dans le monde en s'incarnant sous diverses formes ou "avatars", au nombre de dix, et de ***Shiva*** le destructeur. C'est la trinité hindouiste, symbole de l'unité du divin dans le mouvement de l'univers, de la vie et de la mort.

Ci-dessus

Le temple de Lakshmana

Ce sanctuaire est situé sur une terrasse bordée de quatre temples. Dédié à Vishnou, il doit son nom à Lakshmi, déesse de la fortune et épouse de Vishnou. La structure conique de ce temple est caractéristique des temples hindous. Il date du Xe siècle.

Page en regard

Détail du temple de Kandariya

Ces célèbres sculptures appartiennent au temple le plus important de Khajuraho. Il est dédié à Shiva. Les artistes, qui ont sculpté avec une précision remarquable chaque parcelle disponible à l'extérieur comme à l'intérieur, obéissaient à la doctrine tantrique prônée à l'époque des Candella : l'union sexuelle avec la femme qui est la source libératrice de l'énergie est une étape indispensable de l'union avec la divinité.

Au Tibet

Ce pays surnommé "le Toit du monde" parce qu'il abrite les montagnes de l'**Himalaya** et que ses vallées s'étirent à plus de 4000 mètres d'altitude est resté longtemps ignoré.

Depuis le XVIIe siècle, les rares tentatives des missionnaires n'avaient eu aucune influence. Ils ne parvenaient d'ailleurs à y entrer qu'isolé ou par deux. C'est au tout début du XXe siècle que les ***Anglais*** n'hésitèrent pas à envoyer un corps expéditionnaire de 600 hommes pour tester les débouchés commerciaux. Le ***Dalaï Lama*** s'enfuit en **Mongolie**. Il revint cependant en 1912. C'est lui qui rencontra la seule occidentale à avoir vécu au **Tibet** : ***Alexandra David-Neel***. Revenue en Europe, elle écrivit des récits, dont *Mystiques et magiciens du Tibet* qui furent jugés trop "forts" pour convaincre vraiment. En 1950, la **Chine** communiste envahit le **Tibet**. L'Occident laissa opérer des milliers de massacres. Puis ***Mao*** mourut et la **Chine** commença à ouvrir ses frontières et celles du **Tibet**.

Et les médias présentèrent un moine que les chefs d'Etat commençaient à recevoir. Un fait aurait pu attirer l'attention sur sa personne : jamais l'on n'avait songé à le remplacer, même les communistes n'avaient osé lui trouver un successeur.

Dans ses *Mémoires*, le ***Dalaï Lama*** raconte avec un raisonnement quasi mathématique comment les lamas partirent à la recherche de la réincarnation du quatorzième ***Dalaï Lama***, à la suite d'une vision très explicite du régent qui les guida dans la bonne région et dans la bonne maison. Ils demandèrent l'hospitalité, mais ne dévoilèrent pas leur identité. Le petit garçon de la maison se dirigea sans hésiter vers le chef de la mission pourtant déguisé en domestique et lui réclama "son" chapelet, en fait celui du ***Dalaï Lama*** défunt. Parmi les nombreux objets qu'on lui présenta, il ne se trompa jamais pour reconnaître comme siens ceux qui avaient appartenu au défunt.

Ces phénomènes incompréhensibles pour un occidental montrent combien la religion tibétaine comporte d'originalité et, même, d'énigmes mais qu'elle n'est nullement incompatible avec le monde actuel. Et l'on ne peut s'empêcher d'évoquer ***André Malraux***, lorsqu'il affirmait : "Le XXIe siècle sera spirituel ou ne sera pas".

Lhassa : le palais du Potala

Ce monastère est l'ancienne résidence des dalaï lamas. Il symbolise à merveille l'architecture tibétaine en combinant la notion de palais royal, de temple et de pagode. Il mesure 110 mètres de haut, 360 mètres de large, comprend 13 étages et plus de 1000 salles. Le site fut occupé comme palais royal dès le VIIe siècle par Songsten Gampo mais le bâtiment actuel date du XVIIe siècle. A la relative austérité du bâtiment extérieur dont les fondations sont établies à même la colline s'oppose la richesse de la décoration intérieure où, à travers des dominantes d'or et de rouge, la profusion des peintures, statues, tissus sacrés... rappelle à chaque regard que tout est symbole dans le bouddhisme tibétain.

Pages suivantes

Lhassa : Jokhand

Ce fut le premier monastère fondé au Tibet. On le doit à Songsten Gampo (651), mais on lui adjoignit des bâtiments jusqu'au XVIIe siècle. Les Tibétains lui vouent une ferveur particulière. La légende rapporte qu'il serait construit à l'emplacement d'un ancien lac souterrain propice à la divination.

En Birmanie

L'histoire de la **Birmanie** est l'une des plus mouvementées de cette région de l'**Asie du Sud-Est** et, malgré l'omniprésence du bouddhisme, religion avant tout pacifique, l'histoire de ce pays ce caractérise surtout par son aspect belliqueux et sa propension à changer de capitale. C'est à **Rangoon**, ou **Yangoon**, la dernière en date, que se trouve la plus haute pagode du monde : l'ensemble de **Shwe Dagon** dont la flèche principale atteint 100 mètres de haut. Tout autour, des dizaines de pagodons d'or et d'argent créent un ensemble presque irréel.

L'apparence actuelle de **Shwe Dagon** ne date que du siècle dernier mais le site choisi pour ce sanctuaire est très ancien : il remonterait au VIe siècle av. J.-C. A cette époque, on aurait construit une pagode pour abriter un trésor exceptionnel : huit cheveux de ***Bouddha*** apportés par deux marchands indiens. Le site aurait été désigné par ***Bouddha*** lui-même, comme d'autres sites birmans. A ce sujet, on notera que la **Birmanie** possède une particularité : une manière de représenter ***Bouddha***, debout, l'index droit pointé pour désigner un lieu sacré. La construction de **Mandalay** aurait été décidée ainsi.

Ce que nous appelons aujourd'hui la **Birmanie** ne doit, en fait, son appellation qu'à la pugnacité d'un peuple, les ***Birmans***, qui ne s'implanta là qu'au début du second millénaire de notre ère. Auparavant, ce territoire avait connu une civilisation très brillante avec les ***Pyû***. peuple considéré comme tibélo-birman, et avec les ***Môns***, très proches des ***Khmers***, dont la capitale était **Thaton**, en **Basse Birmanie**, dans le delta de l'**Irawady**. On attribue la destruction des ***Pyû*** aux tribus ***thaïes*** et l'affaiblissement momentané des ***Môns*** aux ***Birmans*** descendus du nord. Ils créèrent des petits domaines prospères le long de l'**Irawady**, avec notamment la culture du riz. Leur première capitale fut **Pagan**, au IXe siècle. Deux siècles plus tard, leur chef, ***Anawratha***, créa la première dynastie birmane et détruisit **Thaton**, la capitale des ***Môns*** jugés trop favorables aux ***Khmers***. On lui doit également les premiers travaux d'irrigation, si importants pour le développement de la **Birmanie**.

Anawratha voulait reprendre aux ***Môns*** les textes sacrés de ***Bouddha*** – les *Tripitaka* –: il les fit enchâsser dans les sanctuaires de **Pagan** mais il n'est pas sûr qu'il les ait trouvés à **Thaton**.

Au XIIIe siècle (à la fin de sa splendeur), **Pagan** comptait 5000 monuments et, aujourd'hui, on y dénombre encore les vestiges de 1500 constructions sacrées ou non.

Les premiers monuments de **Pagan** remonteraient au second siècle de notre ère et sa visite, aujourd'hui, semble être un immense hymne à ***Bouddha***. Partout, stupas, pagodes et temples témoignent de centaines d'années de bouddhisme. Mais les frontières du nord laissèrent passer une nouvelle vague d'envahisseurs, les ***Mongols***, qui anéantirent la puissance de **Pagan**. La **Birmanie** connaît alors de longs siècles de querelles plus ou moins intestines, les ***Thaïs*** s'infiltrent, la province de l'**Arakan** et **Pegu** quittent le contrôle birman. C'est l'époque des ***Chans***, proches des ***Môns***, qui établissent une nouvelle capitale. **Ava**, dont il ne reste rien à présent. Les ***Môns*** préfèrent établir leur capitale dans un port et **Pegu** devient le centre d'une civilisation brillante. Les ***Birmans*** se replient à **Toungoo** où ils reconstituent leurs forces et reconquièrent de nouveaux territoires.

En 1539, le roi birman ***Tabinshweti*** est à nouveau maître de la **Birmanie** et de **Pegu**. Il poursuit sa politique d'expansion et va jusqu'à **Ayutthaya** mais les ***Môns*** l'assassinent assez vite et la **Birmanie** est à nouveau à feu et à sang.

Au XVIIe siècle, la capitale est transférée à **Ava**, l'ancienne capitale des ***Chans***, dans le centre du pays.

Au XVIIIe siècle, la capitale fut **Shwebo**, puis à nouveau **Ava**, puis **Amarapura**.

En 1859, la **Birmanie** se dote encore d'une nouvelle capitale, **Mandalay**, située sur une colline le long de **l'Irawady**. Cette dernière capitale royale partage avec **Pagan** et **Shwe Dagon** les raisons d'un séjour dans ce pays qui se refuse au tourisme. Même si les ***Japonais*** ont détruit, pendant la dernière guerre, les quatre kilomètres carrés du palais (mais pas les murailles), il reste de très nombreux monuments à visiter, dont la célèbre et impressionnante pagode carrée de **Kuthodaw**.

Le choix de la capitale actuelle fut fait par les ***Anglais*** qui avaient annexé ce voisin qui risquait de les gêner dans leur empire des **Indes** : ce fut **Rangoon**, en raison de sa situation portuaire.

Rangoon : Shwe Dagon

Slave Dagon est l'un des plus hauts lieux du Bouddhisme. C'est un immense domaine où des dizaines de pagodons étincelants s'imbriquent les uns dans les autres. Nous voyons ici l'édifice principal ; il est recouvert de milliers de plaques d'or et c'est le plus haut édifice du monde bouddhiste. Prolémée, dans sa fameuse Géographie, faisait déjà référence à cet or en évoquant l'actuelle Birmanie comme la Chersonèse d'Or : Marco Polo, pour sa part, appelait la Birmanie le royaume de Mien.

En Thailande : Ayutthaya

Au nord de **Bangkok**, les ruines d'**Ayutthaya**, ancienne capitale du **Siam** (nom donné à la **Thaïlande** jusqu'en 1939), remontent, pour les plus anciennes, au milieu du XVe siècle. L'initiative revient à un prince d'**U-Thong**, couronné roi en 1347 sous le nom de ***Râmadhibodhi***. Son autorité incontestée auprès de son peuple s'explique par son statut de dieu-roi régnant sur un état des plus centralisés. Par la suite, les souverains successifs élaborent de nombreuses institutions dont certaines fonctionnaient encore au XIXe siècle. Mais **Ayutthaya** ne perdit son rang de capitale qu'en 1767. Le royaume d'**Ayutthaya** avait lui-même succédé à celui de **Sukhôthaï**, créé en 1238. L'ère de **Sukhôthaï** fut essentielle pour le **Siam** : elle avait vu un début d'unification du royaume, l'introduction de l'écriture et la diffusion du bouddhisme theravada.

Pendant ses quatre siècles d'existence, le royaume d'**Ayutthaya** ne cesse de s'agrandir par des luttes acharnées et continuelles contre ses proches voisins. La ville de **Sukhôthaï** succombe la première et son roi, ***Lu Thaï***, réduit au rang de vassal, devient un simple sujet des rois siamois.

Puis, en 1431, les ***Khmers***, écrasés dans leur propre capitale, **Angkor**, subissent un sort identique. Mais, en 1767, les puissances se renversent et les armées birmanes s'emparent sauvagement d'**Ayutthaya** pillant la ville, détruisant ses trésors et persécutant les populations.

Du jour au lendemain, la richissime capitale se transforme en un gigantesque champ de ruines et l'ampleur des destructions est telle que la dynastie ***Chakri***, installée à **Bangkok**, renonce à l'idée même de les relever. Les habitants qui ont réussi à échapper aux massacres sanglants de la population désertent la région pour se réfugier dans le sud du royaume de **Siam**.

Construite sur une île du **Ménam**, la ville d'**Ayutthaya** bénéficiait alors d'une position stratégique exceptionnelle, au confluent de trois rivières : la **Mae Nam Pasak** au nord-est, la **Mae Nam Lop Buri** au nord-ouest et la **Chao Phraya** contournant la ville de l'ouest au sud. Initialement édifiée sur un périmètre de cinq kilomètres sur trois, l'ancienne cité possédait un urbanisme des plus remarquables pour l'époque avec un quadrillage de canaux très élaboré.

Pendant quatre cents ans, trente-trois rois ont contribué à l'embellissement d'**Ayutthaya** rajoutant, au gré de leurs croyances et de leurs désirs, palais, temples, pagodes ou sanctuaires recouverts de stucs et de dorures éclatantes. Ainsi, on évalue à près de 15 km², la superficie recouverte par les ruines de l'ancienne capitale siamoise (abords extérieurs de l'île compris).

Au fur et à mesure de leurs conquêtes, les souverains assimilent les différents courants artistiques modelés de ces œuvres et les techniques utilisées pour les réaliser. La plus impressionnante relique de l'ancienne cité reste cet immense ***Bouddha*** assis en bronze, également appelé ***Amida***, le plus grand jamais sculpté en **Thaïlande** et placé dans le **Viharn Phra Mongkol Bopitr**, immense sanctuaire du XVe siècle. Malgré le gigantisme de l'œuvre, aucun détail n'a été négligé et le modelé du visage possède cette douceur et cette bienveillance si caractéristiques à l'art d'**Ayutthaya**.

Page en regard

Nakhon Phanom : le Phra That Phanom

Nous sommes ici au nord-est de la Thaïlande, le long du Mékong. C'est une région au passé historique très riche, souvent influencée par la civilisation khmère. Ce chédi, situé dans le Wat Phanoni, est l'un des lieux de pèlerinage les plus vénérés du pays.

Ci-dessus

Des chédis à Ayutthaya

Au cœur de l'île artificielle formée par le confluent des trois rivières, Ayutthaya présente un impressionnant ensemble de vestiges de palais et de temples. Les fastes de la capitale de l'Extrême Orient avaient impressionné les émissaires de Louis XIV. Ici, nous admirons des chédis, sanctuaires destinés à abriter des reliques de Bouddha ou de saints.

rencontrés ici ou là. En fait, le style d'**Ayutthaya** résulte d'un subtile mélange entre des traditions siamoises très anciennes et des emprunts faits à travers toute l'**Asie**, essentiellement à **Sukhôthaï** et à l'empire khmer du **Cambodge**.

C'est au XVIe siècle que la ville atteint son apogée grâce à une intégration parfaite des arts mineurs à l'architecture. Le travail de la laque, du bois et du bronze connaît un tel raffinement et une telle préciosité que de nombreux royaumes empruntent à **Ayutthaya** les

De nombreux temples encore debout se dressent au cœur des ruines et témoignent de la prospérité du royaume dirigé par des souverains animés par une piété profonde.

Mais, malheureusement, prangs (tours utilisées dans l'architecture religieuse), stupas (reliquaires de forme ronde surmontés d'une flèche), chédis (édifices ayant la même fonction que les stupas), temples s'entremêlent dans le plus grand désordre, offrant au visiteur des ruines d'une remarquable complexité.

Bangkok

Les temples resplendissants d'or de **Bangkok** représentent une époque récente, comparativement aux autres civilisations de l'**Extrême-Orient** et la fondation de cette cité, au XVIIIe siècle, relève presque d'une anecdote.

Au départ, il y a la destruction étonnamment hargneuse des ***Birmans*** à **Ayutthaya**. Un général, ***Phya Tak***, cependant, réussit à s'enfuir et, fort de ses précédentes victoires sur cet ennemi, il regroupe autour de lui une petite troupe. Ils remontent la **Chao Phraya** et s'installent dans la ville de **Thon Buri** où il reconstruit une parodie du royaume d'**Ayutthaya**. Mais bientôt, son entourage, inquiet de ses rêves de grandeur, appelle le successeur qu'il s'est lui-même désigné, ***Phya Khari***. Celui-ci se fait couronner roi après avoir fait tuer ***Phya Tak*** et traverse la rivière pour fonder une nouvelle capitale qu'il fait couvrir de temples et de palais. **Bangkok** est née et la dynastie qu'il a créée et à laquelle il a rajouté le nom du héros siamois, ***Rama***, est encore au pouvoir aujourd'hui.

L'art de **Bangkok**, après celui de **Sukôthaï** et celui d'**Ayutthaya**, a laissé un nom : le style *Ratanakosin*. Entamée à la fin du XVIIIe siècle, la construction de **Bangkok** s'est surtout effectuée au XIXe siècle et le temps assez court imparti à l'édification d'un nombre étonnant de temples, de monastères et de palais a contribué à renforcer l'harmonie d'un style qui, au départ, partait avec un handicap : copier l'ancien.

Les puristes amateurs de vieilles pierres sobres ont reproché au style *Ratanakosin* son maniérisme et la surabondance de ses ornementations. Mais, aujourd'hui, l'on ne peut que féliciter ces artistes d'avoir fait appel à toute leur imagination pour honorer ***Bouddha*** dans un exceptionnel déploiement de couleurs et de matériaux. Et les temples, admirablement entretenus, représentent de merveilleuses oasis de calme et de verdure. Ainsi, le **Wat Po**, le **Wat Phra Keo** (ou **temple du Bouddha d'Emeraude**), le **Wat Mahathat**, le **Wat Rachapradit**, le **Wat Rajabopitr**, le **Wat Suthat**, le **Wat Somanat**, le **Wat Benchamabopitr** et bien d'autres temples encore, le **Palais Royal** ou le **Musée National** construit dans l'ancien palais du roi ***Chulagonkorn***.

**Wat Phra Keo :
le temple du Bouddha d'Emeraude**

La construction de ce temple, l'un des fleurons de l'architecture thaïe, relève d'un hasard : au XVe siècle, à Chiang Raï, la foudre s'abat sur une pagode assez simple, épargnant quelques objets, dont un Bouddha recouvert de stuc. Bientôt, le stuc s'écaille, laissant apparaître un précieux Bouddha vert, en jaspe, mais la ferveur populaire l'appelle le Bouddha d'Emeraude. La statue est alors transférée à Chiang Maï où elle est vénérée ; elle y reste un siècle jusqu'à son enlèvement à Vientiane par un jeune prince laotien. Quand le roi Rama Ier s'empare du Laos, il rapporte la statue. Au XVIIIe siècle, la dynastie Chakri fait édifier le Wat Phra Keo où elle installe le Bouddha d'Emeraude.

En Malaisie

Selangor : la mosquée du Sultan Salahuddin Abdul Aziz Shah

Cette splendide mosquée moderne est le fleuron de la ville de Shah Alam. Son dôme est le plus grand du monde et ses quatre minarets dépassent chacun 100 mètres de haut 20 000 fidèles peuvent s'y recueillir en même temps. Shah Alam est la capitale de l'Etat de Selangor, voisin de Kuala Lumpur. Ses côtes luxuriantes s'étendent le long du détroit de Malacca.

Entourée par la **Thaïlande**, l'**Indonésie** et les **Philippines**, la **Malaisie** possède une configuration toute particulière au sein de l'**Asie du Sud-Est**. Elle couvre deux régions séparées par la **mer de Chine** : la péninsule malaise (hormis **Singapour**) à l'extrémité sud du continent asiatique et les Etats de **Sabah** et de **Sarawak** sur l'île de **Bornéo**.

La **Malaisie** a longtemps été au carrefour des routes commerciales et touristiques des voyageurs de l'est et de l'ouest mais également sur celle des envahisseurs, obligeant le pays à assimiler les influences les plus diverses et les plus contradictoires au gré des occupations successives.

Dès le IIe siècle après notre ère, une civilisation indo-malaise se dessine pour ne s'éteindre qu'un millénaire plus tard. Profondément imprégnée de bouddhisme et d'hindouisme, la **Malaisie** adopte alors us, coutumes et rituels directement hérités des grands royaumes asiatiques alors très puissants, notamment **Angkor** (empire khmer du **Cambodge**) puis **Ayutthaya** (**Thaïlande**).

Au VIIIe siècle, le pays passe aux mains de l'empire khmer dont l'essor constitue certainement un des événements politiques majeurs de toute l'histoire de l'**Asie du Sud-Est**. Sur la côte occidentale de la péninsule malaise, les vestiges archéologiques de **Perak** – par exemple, le petit temple construit sur le **Sungei Batu Pahat** – témoignent encore avec clarté de cette influence.

En 1400, un prince de **Java**, ***Parameswara***, décide de protéger sa capitale, **Temasek** (actuelle ville de **Singapour**), contre les puissants princes d'**Ayutthaya**. Malheureusement, la ville est saccagée et les populations se réfugient en **Malaisie**, à **Malacca**, dans le sud-ouest du pays. Grâce au soutien des empereurs de **Chine**, déterminés à mettre un terme à l'occupation

siamoise, le petit village devient rapidement un centre commercial actif. Avant de s'éteindre, ***Parameswara*** se convertit à l'islam, introduisant en territoire malais cette nouvelles religion qui ne tarde pas à devenir majoritaire à travers toute la péninsule. Aujourd'hui, la religion officielle reste l'islam mais de multiples autres religions (bouddhisme, hindouisme, taoïsme, christianisme) sont également reconnues.

A partir du XVIe siècle, la ville de **Malacca** passe successivement aux mains des ***Portugais***, des ***Hollandais*** (implantés à **Java**) et des ***Anglais*** arrivés depuis 1786 à **Penang**. Dans son roman *La Dame de Malacca*, ***Francis de Croisset*** a fort bien rendu l'atmosphère de l'époque anglaise. Puis, ***Yves Allégret***, en portant à l'écran *La Dame de Malacca* a permis de mieux saisir encore la force du "*sortilège malais*" et les mesquineries de nombreux petits chefs occidentaux dans cet Extrême-Orient si convoité.

Bons princes, les ***Malais*** ont cependant conservé après l'Indépendance en 1957 certaines habitudes contractées à l'époque, comme l'enseignement de l'anglais ou la conduite à gauche. La capitale, **Kuala Lumpur**, présente un aspect relativement inattendu dans ce pays tropical : des buildings étincelants alternent avec des palais et des mosquées aussi modernes qu'éclatantes et ce sur fond de gazons plus beaux que des greens et portant des palmiers.

Mais **Kuala Lumpur** n'est qu'un visage de la **Malaisie**. Sur les 330 000 km^2 de son sol composé de 13 Etats et 2 territoires fédéraux, le voyageur peut admirer la diversité de cette longue péninsule proche de l'équateur : le long du littoral est ou ouest, de magnifiques plages tropicales, à l'intérieur une végétation souriante où les rizières alternent avec des lacs ou des forêts luxuriantes. Dans les capitales des différents Etats, les mosquées rutilantes cohabitent paisiblement avec les palais, les temples et les étals incroyablement bariolés des marchés aux senteurs merveilleuses.

Aujourd'hui, la **Malaisie** est une monarchie constitutionnelle. Le premier ministre est le chef du gouvernement fédéral, et, selon la tradition, ***Sa Majesté le Roi*** est élu tous les cinq ans par la conférence des dirigeants.

Perak : la mosquée Ubudiah

Les mines d'étain ont fait la fortune de l'Etat de Perak, situé au nord de l'Etat de Selangor. C'est de Perak que parti la première ligne de chemin de fer malaise. Cette mosquée, dont nous admirons ici le dôme admirablement entretenu, est l'une des plus anciennes de Malaisie.

A Singapour

Située à l'extrémité sud de la péninsule malaise, la ville de **Singapour** bénéficie d'une situation des plus exceptionnelles au cœur même de l'**Asie.**

Proche de la **Thaïlande**, des **Philippines** et de l'**Indonésie** et reliée à la **Malaisie** par le "Causeway", pont de plus d'un kilomètre de long, cette république compte une île principale et quelque 57 îles annexes de moindre dimension, soit une superficie totale de près de 623 km^2.

Les mentions historiques de la région semblent remonter au XIVe siècle alors que la ville s'appelait encore **Temasek**, la Ville de la Mer. Elle abritait un petit village de pêcheurs vivant essentiellement des produits de leur récolte. Peu de temps après, la ville passe aux mains du puissant empire ***Sri Vijaya*** . La légende affirme qu'un prince srivijayan aperçut un animal qu'il assimila à un lion ; il rebaptisa alors la ville **Singa Pura**, la Ville du Lion.

Il faut ensuite se rendre au XIXe siècle pour retrouver **Singapour**. Un dignitaire anglais, ***sir Stamford Raffles***, recherchait alors une base nationale pour la Compagnie Britannique des Indes Orientales. En 1819, il décida de l'établir à **Singapour**, jugeant sa situation géographique stratégique et son port naturel idéal pour implanter un comptoir commercial.

La ville se consacre alors au commerce international, sans cesse accru, entre l'Orient et l'Occident. Mais, cet essor exceptionnel est brusquement contrecarré lorsque le **Japon** envahit **Singapour** en 1942. Après trois années d'occupation japonaise, la ville connaît divers statuts avant de devenir, en 1965, une république indépendante.

Il est amusant de voir à **Singapour** comment les 2,7 millions d'habitants d'origines diverses (***Chinois, Malais, Indiens, Eurasiens...***) cohabitent sans la moindre gêne. Devant un tel mélange, le gouvernement s'est vu dans l'obligation d'imposer quatre langues officielles (le mandarin, le tamoul, le malais et l'anglais) tout en laissant à chaque ethnie le droit de conserver son identité culturelle. Mosquées, églises, synagogues, temples bouddhistes ou hindouistes se côtoient au cœur de **Singapour**, concurrencés par la construction d'impressionnants gratte-ciel.

Singapour

Ignorant les problèmes de l'Ancien et du Nouveau Monde, certains pays d'Asie du Sud-Est connaissent un développement prodigieux. Ils progressent avec autant de discrétion que d'efficacité. Singapour jouit, en outre, d'un statut particulier : c'est la Suisse de l'Orient, mais une Suisse résolument tournée vers le IIIe millénaire.

En Indonésie

Sulawesi : le pays Toradja

Installés au centre de l'île entre 1000 et 3000 mètres d'altitude, les Toradjas ont conservé un système social et religieux aussi structuré qu'original. La population est répartie de la façon suivante : un peu plus de 10 % d'hommes libres, deux castes intermédiaires et les "esclaves" qui représentent une bonne moitié de la population. Les Hollandais, puis le gouvernement indonésien, ont tenté de libérer ces derniers mais les esclaves ont refusé la liberté. Il est difficile de démêler dans ce refus la crainte de transgresser un interdit social et religieux (une révolte contre le père, chef du clan, et contre les ancêtres) et la crainte de perdre une structure relativement confortable (nourriture et logement assurés). De toute façon, la grande affaire du Toradja, ce n'est pas la vie terrestre mais l'existence qui commence après. Pour saisir l'ampleur du phénomène, il faut assister aux funérailles d'un noble. Chez le Toradja, la mort se déroule en trois temps. Il y a d'abord le décès clinique qui importe peu au Toradja, on conserve le mort éviscéré dans la maison et on continue à lui offrir une nourriture symbolique. La mort officielle n'est annoncée qu'après le sacrifice d'un buffle, cet animal étant le pivot de cette civilisation. Seulement, alors, pourra avoir lieu la cérémonie qui conférera le rang d'ancêtre au Toradja, elle peut se dérouler vingt ans après sa mort car il faut réunir la famille et l'argent nécessaire au sacrifice de dizaines de buffles. Un village est construit à l'occasion et détruit après la cérémonie qui peut durer un mois. Le mort peut enfin rejoindre les "ancêtres" debout en haut d'une falaise où s'aligne une étonnante galerie de mannequins aux yeux démesurés.

L'**Indonésie**, au sud du sous-continent indien, regroupe un ensemble de 13 777 îles – plus ou moins volcaniques – éparpillées inégalement dans l'**océan Indien**, dont très peu (3 000 seulement) sont habitées.

Au XIXe siècle, ces îles portaient encore un patronyme auréolé de mystères : les **îles de la Sonde**. C'est dans l'une d'elles que le parnassien ***Leconte de Lisle*** situe sa superbe et inquiétante "panthère noire". Et il est vrai que de l'Occident, on hésite souvent à propos de ces îles entre des clichés à première vue peu compatibles : des îles où souvent la jungle règne en maître et où des populations exotiques ont conservé un mode de vie aussi original que primitif (comme les ***Bataks*** à **Sumatra** ou les ***Toradjas*** à **Sulawesi**) et le fait que l'**Indonésie** est le premier pays musulman du monde et que certaines de ces îles connurent au cours du premier millénaire des civilisations hindoues et bouddhistes particulièrement florissantes. Cependant les traditions animistes, malgré la bonne volonté des missionnaires chrétiens (et notamment de ***saint François-Xavier***), ont fortement marquée cette population aux yeux plus ou moins bridés.

L'**Indonésie** frôle l'équateur ; elle commence avec **Sumatra** au sud de la **Malaisie**, de l'autre côté du **détroit de Malacca**. Le contraste avec **Singapour**, face à la côte nord de **Sumatra**, est caricatural. C'est l'un des pays les plus étendus de la planète : elle se déroule en longueur de la **Thaïlande** à la **Nouvelle-Guinée**. Ses îles principales sont d'ouest en est : **Sumatra, Java, Bali**, les îles **Flores, Timor** et **Irian** qui constituent la partie occidentale de la **Nouvelle-Guinée** ; au nord, **Bornéo, Sulawesi** (anciennes **îles Célèbes**) et les **Moluques**.

Bornéo (736 000 km^2) est la plus grande des îles, mais c'est **Java**, (132 000 km^2) qui est la plus peuplée : sa densité est l'une des plus fortes du monde et sa population avoisine 100 millions d'habitants. C'est à **Java** que se trouve l'impressionnant ensemble de temples de **Boroboudour**. Il date de la dynastie ***Sailendra*** dont les rois dominèrent la région au cours du premier millénaire. Mais c'est le charme de la minuscule **Bali** (5 561 km^2) qui a surtout contribué à faire connaître l'**Indonésie**.

Angkor Vat

Angkor Vat signifie la Ville-Temple. C'est le plus grand ensemble architectural sacré que l'on connaisse : il remonte au XIIe siècle et a été récem--ment classé au patrimoine historique mondial. La profusion des constructions et leurs dimensions imposantes n'ont pas entravé la minutie des artistes qui ont ciselé sur les parois des scènes de la vie quotidienne avec une précision surprenante.

Au Cambodge

Dès le début du IXe siècle, l'empire khmer s'implante dans cette région grâce à la personnalité exceptionnelle des rois qui le gouvernent. Après avoir mis un terme à la tutelle javanaise, ils étendent leurs possessions d'est en ouest et installent leur capitale à **Angkor**, dans l'actuel **Cambodge**.

Ce choix correspondait alors à deux nécessités essentielles : s'implanter au cœur de leur immense empire et ce dans une zone suffisamment desservie par des rivières ou des cours d'eau. A leur apogée, au cours du XIe siècle, les ***Khmers*** dominent un territoire comprenant l'actuel **Cambodge**, le **Laos**, le sud du **Siam** (**Thaïlande**) et le nord de la **Malaisie**. Pendant cinq siècles, **Angkor** bénéficie d'attentions toutes particulières, devenant ainsi le symbole même de l'art khmer, astucieux mélange de traditions, d'influences voisines et d'apports personnels.

Au XIXe siècle, lorsque ***Henri Mouho*** pénètre dans **Angkor**, la ville, abandonnée depuis quatre

siècles, baigne dans un tel enchevêtrement de lianes et de branchages que plus des trois quarts des monuments demeurent invisibles à l'œil nu. Aujourd'hui, les travaux de déblaiement achevés permettent au visiteur d'avoir une vision d'ensemble de la capitale telle qu'elle se présentait au temps de sa splendeur.

Sans conteste, le joyau de cet immense ensemble reste **Angkor Vat** édifié par ***Suryavarman II*** au début du XIIe siècle. Dédié à ***Vishnou***, il a également servi de temple funéraire à son fondateur. Outre cette vocation particulière, le **Vat**, comme les principaux sanctuaires angkoriens, est consacré au culte des ancêtres divinisés et à celui du dieu-roi (***deva raja***).

Non loin de là, ***Jayavarman VII*** fonde à la fin du XIIe siècle la cité d'**Angkor Thom**, dernier sursaut avant le début du déclin khmer. Certes, l'empire va survivre pendant encore deux longs siècles, mais il s'effrite au profit des puissances vietnamienne et thaïe. Construite autour du **Bayon**, la ville est marquée par la récente conversion du roi au bouddhisme ; mais malgré sa beauté remarquable, les signes précurseurs de la décadence apparaissent avec timidité.

En Chine

L'"***Homo erectus***" de **Lantian** permet de dater à 600 000 ans l'origine du peuplement de la **Chine**. Puis, des traces de céramiques peintes pendant la période néolithique témoignent d'une influence du **Moyen-Orient**.

Les tombes de **Zhengzhou** et de **Anyang**, avec leur mobilier funéraire et domestique, leurs chars et chevaux de bronze, marquent la naissance de la civilisation chinoise sous la première dynastie : celle des ***Shang*** (1770 à 1050 av. J.-C.). Sur des os et des écailles de tortues, des inscriptions religieuses révèlent la naissance de l'écriture chinoise. Le fer et le verre apparaissent au XIIIe siècle av. J.-C. mais les bronzes de la dynastie ***Zhou*** (1050-221 av. J.-C.) sont plus grossiers. Malgré leurs affrontements, les cours des royaumes combattants (481-221 av. J.-C.) rivalisent dans le luxe : le bronze et le jade se parent d'incrustations d'or, d'argent, de turquoise et de malachite.

C'est l'époque d'une culture chinoise commune à ces états rivaux. Philosophes, sages et maîtres se rendent d'une cour à l'autre. On travaille la laque et on peint la soie. Pour se protéger des nomades barbares, ***Quin Shih Huangti*** élève la ***Grande Muraille***. Ce premier empereur fonda la brève dynastie des ***Quin*** ou ***T'sin*** (221-206) mais laissa son nom : ***Quin*** ou ***T'Sin*** forma **Chine**. Sa sépulture, près de **Xian**, rassemble une prodigieuse armée ensevelie de 6400 soldats statufiés grandeur nature.

La tombe du prince ***Liu Sheng*** à **Maucheng** regroupe 2800 objets funéraires en or, argent, jade, bronze et laque. Plusieurs milliers de plaques de jade et d'or constituent son linceul et celui de son épouse. Des statues monumentales d'animaux précèdent les tombeaux ; elles sont dotées d'un mouvement précis et réaliste. C'est l'art de la dynastie ***Han*** (206 av.-220 ap. J.-C.) où s'associent l'humanisme moralisateur des confucianistes et le lyrisme mystique des taoïstes.

Les œuvres chinoises se répandent en **Corée** et au **Vietnam** après la conquête, en **Asie centrale**, des caravanes de la route de la soie.

Gu Kaizhi est le premier peintre dont une œuvre, harmonieuse et raffinée, a pu être conservée. Les barbares ont entraîné la chute des ***Han*** en envahissant le nord. C'est le morcellement des ***Trois Royaumes*** et des ***Six Dynasties*** (220-581). A **Dynhuang**, les fresques recouvrent 45 000 m[2] de peintures murales et 2 500 sculptures ornent les grottes. A **Yungang** et **Longmen**, les statues sont taillées dans le roc. Le bouddhisme est devenu religion d'Etat du royaume **Wei (Nord)**, le style gréco-bouddhique évolue vers des formes chinoises originales à travers nombre de sculptures et de sanctuaires rupestres.

Le **Grand Canal** et les **silos d'Etat** de **Luoyang** sont l'œuvre des ***Sui*** (581-618). **Chang'an** ville classique du plan en damier, est l'œuvre des ***Tang*** (618-907). Les nouvelles sculptures de **Longmen** marquent l'apogée de l'art plastique alliant réalisme et virtuosité. Les peintures de grande composition en plans superposés illustrent la dynastie ***Song*** (960-1279) qui recrée l'unité après les divisions des ***Cinq Dynasties*** (907-960). ***Guo Xi*** est le peintre du voyage mystique taoïste visant à pénétrer au cœur de la nature et à oublier le monde qui l'entoure. L'empereur ***Huizong*** (1101-1126) est lui-même peintre et lettré.

Les chevaux peints par ***Zhao Mengfu*** sont typiques de la dynastie mongole des ***Yuan*** (1280-1368), fondée par ***Kubilay Khân***, petit-fils de ***Gengis Khân*** et hôte de ***Marco Polo***.

Pékin devient capitale sous les ***Ming*** (1368-1644) qui marquent le retour d'une dynastie chinoise. L'empereur ***Yongle*** fait construire la **Cité interdite**, le **Palais d'Eté** et **l'autel du Ciel**, restaurés à plusieurs reprises par la suite.

Certains pavillons et le monastère de **Wu Dang Zhao** sont de style lamaïste tibétain, religion des ***Quing*** (1644-1911), envahisseurs mandchous et dernière dynastie à avoir régné sur la **Chine**. C'est une époque de déclin.

Ce sont les peintres qui marquent le XXe siècle. ***Huang Binhong*** est traditionaliste, ***Pu Xinyu*** paysagiste. ***Qui Baishi*** se spécialise dans les jardins, ***Fu Baishi*** renouvelle la conception de l'espace, ***Xu Beihong*** est le premier à utiliser la peinture à l'huile et les techniques occidentales. ***Zao Wuqui*** s'est installé à **Paris** pour tenter une synthèse entre la tradition chinoise, les impressionnistes et ***Picasso***.

Les Bouddhas de Luoyang

Ces gigantesques Bouddhas de pierre se trouvent à l'intérieur des grottes de Luoyang. Ils rappellent ceux des grottes afghanes de Bamyan, mutilés par les hordes de Gengis Khan et récemment dynamités par les talibans. Au contraire, les autorités chinoises ont préservé le patrimoine architectural exceptionnel laissé par les dynasties et les civilisations précédentes. Malgré son gigantisme, ce visage semble exprimer toute la sérénité à laquelle invite Bouddha.

En Corée

A l'extrémité orientale de l'**Asie**, la **Corée** forme une petite péninsule enclavée au cœur des plus grandes puissances asiatiques. Position difficile pour la **Corée du Sud** dont la superficie totale n'excède pas 99 200 km^2, 221 487 km^2 avec la **Corée du Nord**.

Le premier royaume politiquement organisé créé en **Corée** remonte à la fin du troisième millénaire avant notre ère. ***Tan'gun***, son légendaire fondateur, lui donne le nom de **Ko-Choson** et installe sa capitale à **Pyongyang**. Par la suite, de nombreux royaumes indépendants prolifèrent mais, au Ier siècle av. J.-C., seuls les plus importants parviennent à survivre : **Koguryo, Paekche** et **Silla**.

Le plus puissant, **Koguryo**, couvrait alors les deux tiers de la **Corée** et une partie de la **Mandchourie** tandis que **Paekche**, fondé près de **Séoul**, émigrait vers le sud-ouest pour éviter la domination de **Koguryo**, mais apportait une immense contribution à la formation de la culture et des connaissances du peuple japonais. Quant au royaume de **Silla**, le dernier à se former, il occupait des terres dans le sud-est de la péninsule, établissant sa capitale à **Kyongju**. Il réussit à s'imposer face à ses deux concurrents et à unifier la **Corée** en 668, créant une civilisation des plus originales. **Kyongju** témoigne encore du raffinement de **Silla**. Mais un habitant du nord, ***Kungye***, fomente une révolte contre le pouvoir en place et gagne rapidement des terres sur le sud. Un de ses lieutenants, ***Wanggon***, fonde le royaume de **Koryo**, dont dérive l'appellation actuelle du pays. Profondément marquée par le bouddhisme, la dynastie ***Koryo*** couvre la péninsule de temples, sanctuaires et pagodes et, surtout, édite une des plus complètes collections d'Ecritures bouddhiques, la *Tripitaka Koreana*. A la fin du XIVe siècle, elle sombre dans le déclin au profit de **Chosun**, fondée par ***Li Songkye***, dont la capitale, **Hanyang**, se trouve sur l'emplacement de l'actuelle ville de **Séoul**. Lassés par le favoritisme accordé à la doctrine bouddhiste, les souverains d'**Hanyang** imposent, comme idéologie officielle, le confucianisme.

Malgré d'ancestraux liens avec la **Chine**, la **Corée** a sauvegardé son individualité. A la fin du XVIe siècle, la **Corée** opte pour une politique isolationniste en réaction contre les épouvantables souffrances et les destructions survenues à la suite des invasions. Même au XIXe siècle, alors que la **Chine** et le **Japon** se sont ouverts à l'Occident, le **Pays du Matin Calme** restait le "Royaume Ermite" pratiquement inconnu de l'extérieur. A la fin du XIXe siècle, la péninsule coréenne devient le champ de

Nonsan : Kwanch'oksa

Unjin Miruk (le Bouddha du futur) a mille ans. C'est le plus haut bouddha de pierre de Corée, il mesure 18 mètres de haut, mais il n'arrive qu'à la moitié du bouddha de bronze du Parc national de Songnisan (35 mètres de haut). Unjin Miruk constitue l'attrait principal de ce sanctuaire bouddhiste. Tout dans sa silhouette très particulière évoque la spiritualité : étrange coiffe évoquant une pagode, oreille aux lobes distendus, position très particulière des mains.

bataille des puissances étrangères pour aboutir, en 1910, à l'annexion de la **Corée** par le **Japon**.

A l'issue de la Deuxième Guerre mondiale, l'échec du **Japon** redonne à la **Corée** son indépendance, mais d'autres problèmes, purement politiques, séparent encore la population : les démocrates au sud et les communistes au nord. Les deux partis s'engagent dans une guerre sanglante – la Guerre de **Corée** – qui se solde par la signature d'un armistice en 1953 laissant, cependant, un pays toujours scindé en deux.

Au Japon

Des divers clans japonais émergea le royaume de **Yamato**, dans la région de **Nara**, au VIe siècle. A la même époque, le bouddhisme fut introduit au **Japon**, venant de **Chine** par la **Corée**. Les ***Japonais*** avaient déjà adopté la civilisation et l'écriture chinoises.

Au XIIe siècle, les guerres entre les clans ***Taira*** et ***Minamoto*** aboutirent à la victoire de ce dernier et à l'institution d'un shogun (généralissime). L'empereur, dépossédé de la réalité du pouvoir, s'installa à **Kyôto**.

C'est dans ce contexte de luttes entre le pouvoir central du shogun et les dissidences seigneuriales que la forteresse d'**Himeji** fut édifiée.

Aujourd'hui, **Himeji** est une ville industrielle de près de 500000 habitants. Elle est située dans les terres mais non loin de la mer intérieure du **Japon**. Le château (*jo*) de **Himeji** est le plus réputé et le plus beau de tous les châteaux japonais. Sa silhouette blanche et fine évoque pour les uns l'aigrette qui hante les rizières de la plaine, pour les autres le héron sur le point de s'envoler dans l'azur. Le site est stratégique car **Himeji** contrôle l'accès aux provinces de l'Ouest.

Les seigneurs féodaux, les ***daimyo***, se rebellaient contre le pouvoir central et se battaient entre eux dans de sanglantes et stériles luttes de clans. En 1346, une première forteresse fut édifiée par ***Akamatsu Sadanori*** sur la colline de **Himeyama**.

Toyotomi Hideyoshi s'en rendit maître en 1577. Ce général, d'origine paysanne, avait réussi à dominer les provinces occidentales, à devenir Premier ministre (shogun) et à réunifier le **Japon** par la force des armes. ***Toyotomi*** agrandit le château d'**Himeji**, construisit un donjon de trois étages et y résida plusieurs années.

En 1601, ***Ikeda Terumasa***, gendre de ***Tokugawa leyasu***, reconstruisit un nouveau château, celui que nous admirons encore aujourd'hui avec son haut donjon de cinq étages et ses trois tours plus petites. La reconstruction dura huit années.

Tokugawa Leyasu était le lieutenant de ***Toyotomi***. En 1600, il avait écrasé la dernière révolte des grands féodaux. Il fut le fondateur d'une véritable dynastie de shoguns, détenteurs du pouvoir réel de 1600 à 1868 tandis que l'officielle dynastie impériale devait se contenter d'un pouvoir honorifique. Il soumit les seigneurs au contrôle du pouvoir central, les obligeant à résider à **Edo** (l'ancien nom de **Tokyo**) la moitié de l'année tandis que l'empereur, lui, continuait à résider à **Kyôto**. Les 600 000 chrétiens, considérés comme traîtres, furent persécutés et traqués.

En six siècles, treize familles et quarante-huit seigneurs se succédèrent à **Himeji-jo**. La paix civile restaurée, le château de 1601 ne connut pas de siège et n'eut à affronter que l'usure du temps. Les travaux de restauration ont été achevés en 1963.

Ce "Trésor national" de l'histoire japonaise a été conçu comme une forteresse imprenable et comme un point d'appui démonstratif et prestigieux du pouvoir central. Le château a pour base un imposant socle de pierre de taille et son donjon surplombe un complexe de douves, d'enceintes, de portes et de cours destiné à briser les assauts de l'ennemi. Des meurtrières rectangulaires étaient réservées aux archers, tandis que les défenseurs disposant de fusils pouvaient utiliser celles en formes de cercle, de carré ou de triangle. Des ouvertures étaient prévues pour lancer des pierres et de l'eau bouillante sur les assaillants.

Le palais principal (**honmaru**) du seigneur se trouvait au pied du donjon dans la première cour, sa famille dans le palais de la deuxième cour, ses vassaux et serviteurs dans la troisième. Les autres cours regroupaient les salles d'armes, les magasins de vivres et de munitions. Les nobles seigneurs y menèrent une vie paisible et raffinée.

Le donjon n'était, en fait, pas habité. Il avait pour fonction d'être l'ultime lieu de défense du seigneur et éventuellement de son suicide rituel (*seppuku*) s'il décidait de ne pas se rendre.

Du cinquième étage, ou admire le panorama : le château et ses défenses, les douves, le parc, la ville moderne, la campagne environnante et, au loin, les côtes de la **mer Intérieure**, les îles **Ieshima** et les chaînes de montagnes du nord.

Après la visite, il faut prendre le temps d'admirer le château de jour puis de nuit et imaginer ce que furent les temps des guerres féodales japonaises à l'aide des grands films de ***Kurosawa*** tels que *Kagemusha* (1980) ou *Ran* (1985).

Himeji-jo

C'est à Himeji-jo, souvent surnommé "le château du Héron Blanc" que culmine une certaine forme d'art de l'Empire du Soleil Levant, celle des forteresses des shoguns. Pour prouver leur invincibilité, les bâtisseurs d'Himeji-jo n'hésitèrent pas à se distinguer de leurs prédécesseurs. Ils firent élever leur forteresse au centre d'un site dégagé. Le donjon central, haut de 50 mètres, permettait un excellent contrôle de la région, et, de ses fenêtres, par temps clair, on peut admirer la mer Intérieure qui doit son nom aux îles qui font face au rivage.

A New York

Manhattan, avant le 11 septembre

Cette vue métallique et rayonnante de New York appartient au passé, mais tout laisse à penser que la reconstruction de la presqu'île sera encore plus prestigieuse. L'explosion des "Twins", les tours jumelles, a entraîné un profond bouleversement des constructions de Manhattan, entraînant la démolition d'autres tours. New York s'étend sur 800 km² et se divise en cinq "boroughs" Manhattan, le Bronx, Brooklyn, Queens et Staten Island, dont la presqu'île de Manhattan, la "céleste contrée" indienne est le centre nerveux qui couvre 60 km². Pour découvrir la ville, le mieux est de monter au 102ᵉ étage de l'Empire State Building à 380 mètres de haut et à l'angle de la 5ᵉ Avenue et de la 34ᵉ Rue. Au nord, on observe le Rockefeller Center, la cathédrale Saint-Patrick, consacrée au saint patron des Irlandais catholiques (très nombreux à New York), construite en style "gothique", Central Park et ses 300 hectares de verdure. Au delà, Harlem. A l'ouest, on surplombe l'Hudson River, le New Jersey et Staten Island. Au sud, les gratte-ciel de Wall Street continuent à faire trembler les banques des cinq continents. Les ponts de Brooklyn, de Manhattan et le célèbre pont Verrazano surplombent avec élégance l'Hudson. La statue de la Liberté, due au Français Bartholdi, "éclaire le monde" en plein milieu de la baie d'Hudson. A l'est, l'East River et le palais des Nations Unies, ainsi que Queens et Brooklyn. Manhattan, c'est la 5ᵉ Avenue, mais ce sont aussi les affiches de Broadway, les artistes de Greenwich Village, les idéogrammes de Chinatown, parmi bien d'autres quartiers qui affirment leurs particularismes.

Surréaliste forêt de verre et d'acier, les gratte-ciel de **Manhattan** tendent à faire oublier l'origine de **New York** : un port. C'est par ce port, le troisième du monde aujourd'hui, que des milliers d'immigrants ont découvert l'**Amérique**. Et depuis 1886, l'immense **Statue de la Liberté** les y accueille symboliquement.

Le premier Européen à y avoir débarqué fut, en 1524, le Florentin ***Verrazano*** qui naviguait sous les couleurs de ***François Iᵉʳ***. Il baptisa la cité **Nouvelle-Angoulême** en l'honneur du roi, mais ce dernier, trop préoccupé par ses conflits avec ***Charles Quint***, porta peu d'intérêt à cette découverte et l'expédition finit tristement, au sud, dans le ventre de cannibales antillais. Presque un siècle plus tard, l'Anglais ***Hudson***, au service des ***Hollandais***, accoste à son tour et achète **Manhattan** à un ***Indien algonquin***, bien que l'endroit soit occupé par les ***Iroquois***.

Le site prend de nom de **Nieuwe Amsterdam**. En 1664, les ***Anglais*** s'en emparent et baptisent le site **New York**. En 1673, les ***Hollandais*** tentent de récupérer les lieux qu'ils nomment **Nieuwe Orange**. L'année suivante, les ***Anglais*** reprennent leur "bien" : **New York** sera anglophone et soumise à l'administration anglaise, qui concède le commerce aux ***Hollandais*** qui ont déjà fait la preuve de leur capacité en la matière aussi bien en **Europe** qu'en **Asie**.Tout va très vite dans ce "Nouveau Monde" où, chaque jour, des émigrants de toute nationalité et de toute confession arrivent, fuyant autant la pauvreté que les perséctionsreligieuses. Dès 1707, la liberté de culte est proclamée, puis en 1783, l'Indépendance. En 1827, l'esclavage est aboli.

Alors que l'**Europe** s'enfonce dans les époques troublées de la Révolution et de l'Empire, les ***New Yorkais*** mettent à profit leur disponibilité et réussissent. Vers 1860, **New York** compte 800 000 habitants de toute origine et mène déjà l'activité nord-américaine. Aujourd'hui, malgré l'attentat du 11 septembre 2001, les New Yorkais n'ont pas perdu l'enthousiasme de leurs aïeux et **New York** conserve son poste de phare de l'économie, de la finance, de l'art. Il faut arpenter les rues pour découvrir une effervescence colorée, chaleureuse et insoupçonnable si l'on s'arrête à l'éclat métallique des buildings dont on voit à peine le sommet.

Winston
CONTAINER CAFE

Au Dakota

Le mont **Rushmore** est universellement connu pour les gigantesques sculptures taillées dans le granit représentant les visages de quatre présidents américains : ***George Washington, Thomas Jefferson, Abraham Lincoln*** et ***Theodore Roosevelt***.

C'est dans ce cadre presque surréaliste qu'***Alfred Hitchcock*** fit évoluer les personnages de l'un de ses films, *La Mort aux trousses*.

Il se situe à 40 km au sud-ouest de **Rapid City** dans la région des **Black Hills** (Etat du **Dakota du Sud**). Le **Mount Rushmore National Memorial**, spectaculaire réussite, est aussi une véritable prouesse technique commencée en 1927 par le sculpteur ***Gutzon Borglum*** (à l'âge de 60 ans). Les visages présidentiels atteignent 18 mètres de hauteur.

George Washington, premier président des **Etats-Unis**, est surtout connu pour sa lutte pour l'Indépendance. Il naquit en 1732 en **Virginie**, dans une famille modeste. Il eut trois centres d'intérêt : ses domaines, sa famille et ses activités politiques. En 1774, il représenta la **Virginie** au Ier Congrès des treize colonies. L'année suivante, il fut nommé commandant en chef de l'armée.

La guerre de l'Indépendance contre la **Grande-Bretagne** commença, et le 4 juillet 1776, l'Indépendance fut proclamée. Chaque colonie eut sa constitution et forma un état. ***Washington*** remit son commandement. Le héros fut élu président des **Etats-Unis** en 1789, puis en 1792 et refusa un troisième mandat. Il mourut le 14 décembre 1799.

Thomas Jefferson (1743-1826) est lui aussi né en **Virginie**. Issu d'une famille aisée, il devint avocat à 24 ans. En 1775, il participa à la rédaction de la Déclaration d'Indépendance et occupa le poste de gouverneur de l'Etat de **Virginie** en 1779. Il fonda le parti républicain démocrate avec ***Madison***. En 1796, il fut vice-président et de 1801 à 1809, troisième président des **Etats-Unis**. Ce penseur libéral, lecteur de ***Rousseau***, défendit un programme dont les principaux thèmes étaient : pouvoir des états, refus d'une banque centrale, prédominance de l'agriculture, exemple de la **France** révolutionnaire. En 1803, ***Jefferson*** racheta à ***Bonaparte*** la **Louisiane** pour une somme dérisoire, doublant ainsi la superficie des **Etats-Unis**. Ce fut le début de l'expansion vers l'Ouest.

Il passa la fin de ses jours dans sa maison à **Monticello**. La correspondance abondante qu'il a laissée nous prouve qu'il fut un homme politique aux idées généreuses et complexes. L'ère jeffersonienne marqua le début du bipartisme américain tel que nous le connaissons actuellement.

Abraham Lincoln (1809-1865), originaire du **Kentucky**, exerça différents métiers tout en poursuivant des études de droit. Il participa à la vie politique dès 1834. Elu au Congrès fédéral en 1846, il adhéra au nouveau parti républicain (*Whig* ou *patriote*) fondé en 1854. En novembre 1860, il remporta les élections présidentielles.

Un mois plus tard éclata la **Guerre de Sécession** (1861 à 1865). Onze états du Sud décidés à conserver le système esclavagiste tentèrent de se séparer de l'Union. Les fédéraux ou "Nordistes" de ***Lincoln*** remportèrent la victoire contre les confédérés ou "Sudistes". ***Abraham Lincoln*** fut tué d'un coup de pistolet le 14 avril 1865, par un acteur fanatique, qui le surprit dans sa loge au théâtre de **Washington**.

Theodore Roosevelt (1858-1919) naquit à **New York** dans une famille aisée. Après des études de droit à **Harvard**, ce passionné d'histoire devint député républicain (1882-1884) puis partit s'installer dans un ranch du **Dakota**. Ce fut un homme d'action, chef de la police de **New York** en 1895, puis secrétaire adjoint à la Marine, en 1898, il mena la guerre à **Cuba** contre l'**Espagne**. Il fut gouverneur de l'Etat de **New York**, avant de devenir président des **Etats-Unis** en 1901 et en 1904.

L'**Amérique** devint la première puissance mondiale. Pendant cette période, les trusts se développèrent très vite. ***Theodore Roosevelt*** fut un politicien avisé et ambitieux. Lorsque le parti républicain, divisé, éclata, il forma en 1912 le parti progressiste. Et ce fut le démocrate ***Wilson*** qui remporta l'élection présidentielle.

Le mont Rushmore

Depuis 1942, des millions de visiteurs ont contemplé les visages de Washington, Jefferson, Roosevelt et Lincoln sculptés dans la masse granitique sur 18 mètres de hauteur. Cet hymne colossal à la gloire des quatre présidents que les Etats-Unis de 1927 jugeaient les plus importants est assez révélateur de cette époque où le Nouveau Monde alliait facilement réussite et démesure, surtout aux yeux du Vieux Continent.

En Utah

"Des rochers rouges, debout comme des hommes, dans un canyon en forme de cuvette." C'est ainsi que les ***Indiens Paiutes*** appelaient **Bryce Canyon**. Les ***Paiutes*** n'avaient pas la vie facile dans ce canyon.

Le nom de **Bryce Canyon** vient d'un pionnier ***Mormon, Ebeneezer Bryce***, ce personnage a vécu pendant cinq ans dans son canyon et il en disait : *"a hell of place to lose a cow"*.

L'ambiance est si singulière ici que l'on se laisse volontiers bercer pas des sensations d'un "autre monde". L'esprit se plaît à remonter le temps en scrutant les roches pour y rechercher les restes des dinosaures disparus. **Bryce Canyon** est une féérie de couleurs: les roses, les rouges, les bleutés varient constamment. Il suffit de quelques minutes de plus ou de quelques mètres en moins pour voir les roses virer au pourpre et les pourpres glisser vers les bleus.

En dehors des paysages magnifiques, **Bryce Canyon** offre d'autres spectacles. Les espèces animales sont très nombreuses, l'on peut citer les cerfs-mulets (mammifères les plus nombreux), écureuils, coyotes, pumas, porcs-épics, marmottes, chiens des prairies... 164 espèces d'oiseaux nichent dans **Bryce Canyon** entre mai et octobre (geais bleus, hirondelles, martinets, pics, rouges-gorges...). A partir du mois d'octobre, beaucoup de ces animaux migrent, cerfs-mulets, pumas, coyotes vont vers les altitudes plus basses. Presque tous les oiseaux partent. Les geais, les corbeaux, les hiboux, les faucons sont des exceptions qui restent sur place. La chasse a décimé et quelquefois fait disparaître de nombreuses espèces (grizzlys, loups...) ; les élans, pumas et ours noirs sont devenus très rares.

La flore, à cause du relief, offre une répartition particulière. Dans le canyon lui-même, les pentes sont trop raides pour que les plantes puissent prendre racine. Cependant, la flore n'est pas absente de **Bryce Canyon** : forêts de genièvres, de pins pignons, d'épicéas, de bouleaux, de sapins (vers **Rainbow Point** et **Yovimpa Point**). La forêt est très variable, selon l'altitude et la hauteur des précipitations. Le printemps et le début de l'été sont les meilleurs moments pour admirer les fleurs: iris, asters, clématites, primevères et autres espèces colorées et parfumées.

Bryce Canyon

Bryce Canyon n'est pas un canyon comme les autres : ce paysage fantastique est niché dans un amphithéâtre creusé dans Pink Cliffs. Pink Cliffs fait partie d'une succession de côtes appelées "the Grand Staircase" : Pink Cliffs est le point le plus élevé de ce grand escalier et est formé de roches sédimentaires dont les teintes jaunes et roses proviennent de la présence d'oxyde de fer: les teintes pourpres et bleutées sont générées par le manganèse. Ces roches ont été déposées au fond de vastes lacs qui couvraient la région, il y a environ 50 à 60 millions d'années. Une surrection a commencé il y a 13 millions d'années pour atteindre un maximum d'un peu plus de 3000 mètres d'altitude. L'érosion a attaqué ces formations. Il faut noter que le vent n'a rien sculpté des formes extraordinaires de Bryce Canyon : seule l'eau fut maître d'œuvre. Elle a créée des formes fantastiques parmi lesquelles l'on se plaît à imaginer des châteaux de fées, des dames du temps jadis et leurs princes charmants, des soldats marchant vers un rêve de gloire...

Au Mexique

Installée dans les vastes terres d'**Amérique centrale**, la civilisation maya, baptisée classique à son apogée, atteint son plus haut degré de perfectionnement dans les années 800 de notre ère. De nombreuses villes d'importance variable se développent ; leurs habitants se distinguent très tôt par leur vaillance et leurs qualités intellectuelles et artistiques.

Mais, on ignore pourquoi, à l'aube du deuxième millénaire, les ***Mayas*** abandonnent villes et villages. Cette subite désertion peut correspondre à des révoltes sociales où paysans et petites gens exterminent ou chassent les chefs militaires, civils et religieux.

Au nord du site, se dresse la pyramide à degrés de **Kukulkan** – traduction maya de Serpent à Plumes – dite "**El Castillo**", surmontée d'un temple haut parfaitement conservé. Quatre escaliers de 91 marches conduisent au sommet : 364 marches plus celle située à l'entrée du temple haut, soit au total, 365 marches, correspondant au nombre de jours de l'année.

C'est à **Chichen Itza** qu'existe la plus grande place de jeu de pelote toltèque – 166 mètres sur 68,50 mètres – avec le **Temple des Tigres** et le **Temple des Guerriers** érigé sur un temple dédié, autrefois, à ***Chaac Mool***, divinité de la pluie et de la culture du maïs.

Page en regard
Chichen Itza : l'"Eglise"
A l'écart du Castillo et du Temple des guerriers, dans l'ensemble dit "Couvent des Nonnes", se dresse ce petit bâtiment d'une seule pièce surnommé l'"Eglise". Il est typique de l'art puuc, région du nord du Yucatan et antérieur aux autres bâtiments toltèques et mayas. Sur la façade, on remarque les nombreux masques de Chaac

L'empire tombe dans la désolation la plus complète, mais pour peu de temps, puisque les ***Toltèques***, originaires de **Tula**, profitent de l'opportunité pour s'emparer des provinces du **Yucatan** devenues indépendantes. Maîtres du territoire, ils imposent aux populations locales leur chef divinisé ***Quetzalcoatl***, le Serpent à Plumes, et installent leur capitale dans le nord du **Yucatan**, en pleine brousse, à **Chichen Itza**.

Plus tout à fait maya mais pas encore toltèque, ce magnifique site archéologique reste l'exemple le plus fascinant d'un travail exécuté par une main-d'œuvre maya mais suivant des idées et des plans établis par une intelligence toltèque.

Passionnés d'astronomie, les ***Toltèques*** établissent, par tradition, un observatoire dans chacune de leurs cités. A **Chichen Itza**, ce bâtiment, également nommé "**El Caracol**", l'Escargot – en raison de son escalier en colimaçon – prend l'aspect d'une tour ronde, assez haute, pour éviter d'être gêné par la végétation luxuriante lorsque l'on effectue une visée. C'est ainsi que les grands astronomes toltèques ont déterminé la durée de l'année solaire, soit 365 jours 1/4.

Au début du XIIIe siècle, les ***Toltèques*** cèdent la place aux ***Aztèques*** qui s'installent à **Chichen Itza** mais le grand bouleversement proviendra de l'arrivée des ***consquistadores*** espagnols.

Ci-dessus
Le Temple des Guerriers et les "Mille colonnes"
Ce temple qui ferme la grande esplanade cérémonielle de Chichen Itza présentait autrefois un visage encore plus imposant : il était deux fois plus haut et les colonnes de l'esplanade s'abritaient sous une toiture rectiligne pour former une entrée monumentale. Il est souvent considéré comme le chef d'œuvre de l'architecture précolombienne.

Au Guatemala

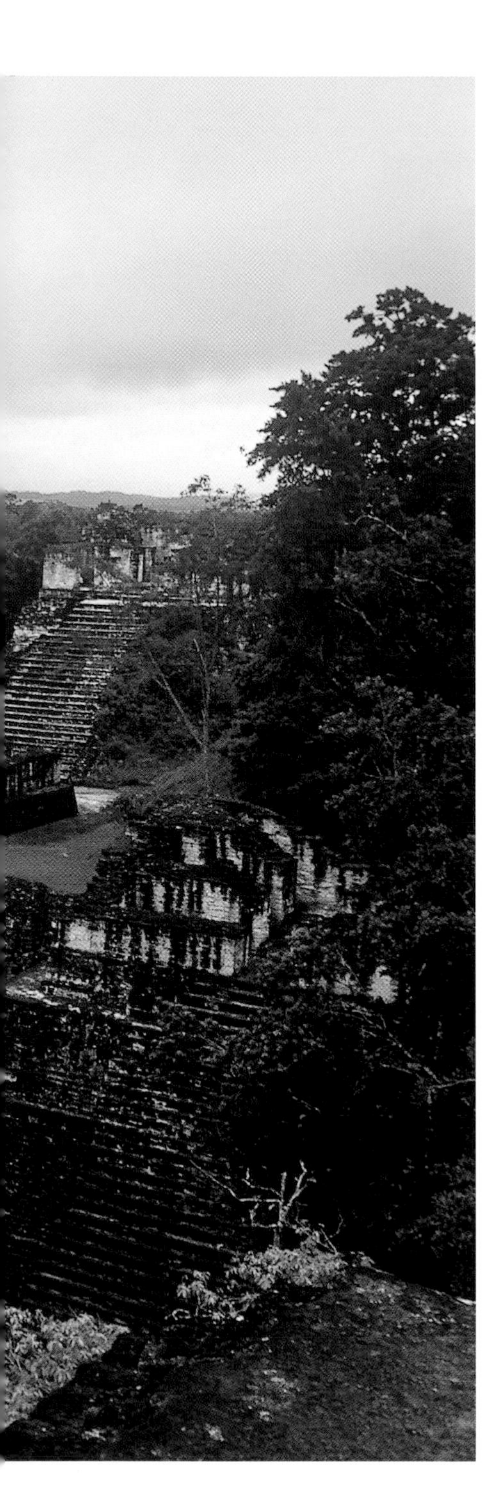

A leur apogée, les ***Mayas*** occupaient des terres si vastes au cœur de l'**Amérique centrale** que les archéologues évaluent à quelque 325 000km² la superficie d'occupation de cette civilisation.

Cependant, entre 1500 avant notre ère, époque de formation de l'empire maya, et la conquête du Nouveau Monde par les armées de ***Cortès*** au XVIe siècle, les centres urbains semblent s'être déplacés du sud vers le nord. En effet, au début du premier millénaire avant notre ère, populations et gouvernements s'installent dans le sud de l'empire dans une zone qui couvre le nord du **Guatemala** et le sud du **Mexique**. Puis au VIIIe siècle, l'essoufflement certain de cette première civilisation conduit les dirigeants à émigrer vers le **Yucatan**, au nord de l'empire, où des temples tels que **Labna, Souyil** ou **Uxmal** témoignent sans conteste de la grandeur maya. L'invasion toltèque clôt définitivement l'époque classique de la civilisation maya mais le génie des nouveaux arrivants concurrence rapidement celui de leurs prédécesseurs ; en témoigne le fabuleux site archéologique de **Chichen Itza**.

Au nord du **Guatemala**, l'ancienne ville de **Tikal** reste le plus ancien vestige maya attesté à ce jour. C'est également le plus vaste : plus de 3 000 constructions s'étendent sur 10km². Découvertes en 1877 par le Suisse ***Gustav Bernouilli*** en plein cœur de la forêt vierge, les ruines de **Tikal** bénéficient, depuis, des soins apportés par les archéologues de l'Université de Pennsylvanie. Trois acropoles distinctes divisent le site. Sur celle du centre, la plus importante, se dresse un immense palais à cinq étages, monument unique en son genre dans tout l'empire maya.

En fait, plus que la qualité des structures, ce sont les dimensions colossales qui frappent. Les temples-pyramides de **Tikal**, les "**Cresterias**", restent les plus hauts édifices recensés en Amérique précolombienne. Ils mesurent parfois plus de 70 mètres de hauteur, dominant ainsi la forêt environnante. Ces "**Cresterias**", sortes d'échafaudages en pierre, possèdent une abondante décoration et les archéologues affirment que le but recherché n'est ni politique ni religieux : il s'agit d'art pour l'art, de libres compositions d'artistes désireux de créer

Tikal

Un peu partout, des stèles en pierre jalonnent places et palais. Toutes sculptées sur le même modèle, elles représentent un personnage de profil entouré de signes hiéroglyphiques. Cette écriture semble encore mal connue, du moins pour les deux tiers de son "alphabet". Les épigraphistes ont, néanmoins, réussi à déchiffrer les dates et les noms des dieux consignés sur les stèles. La plus ancienne, la stèle rouge de Tikal, remonte à l'an 292 de notre ère marquant, selon toute probabilité, le début de l'occupation du site. Pourtant les spécialistes s'accordent pour échelonner la construction de la ville et ses agrandissements entre les Ve et VIIIe siècles.

En Colombie : le Musée de l'Or de Bogota

Le splendide Musée de l'Or de **Bogota**, crée en 1939, abrite une collection exceptionnelle de plusieurs dizaines de milliers de bijoux, parures et trésors divers en or et pierres précieuses, unique au monde. Ces œuvres d'art proviennent de plusieurs civilisations précolombiennes dont les plus connues sont celles des ***Indiens Chibchas*** ou ***Muiscas*** et ***Quimbayas***. Leurs structures politiques furent anéanties au XVIe siècle, au moment de la conquête espagnole.

Les ***conquistadores***, dans leurs cupidité, pillèrent les temples, massacrèrent les ***Indiens*** qui résistaient et chargèrent leurs bateaux de toutes les richesses de la **cordillère des Andes**. Ils pensaient découvrir le royaume de l'**Eldorado**.

Cet **Eldorado** qui fit tant rêver s'appuie sur une coutume ***muisca***. Un homme nu, le corps enduit de graisse et de poudre d'or, plongeait dans les eaux sacrées du lac **Guatavita** nichées à l'intérieur d'un cratère. Il ressortait, étincelant sous les rayons du dieu-soleil suprême ***Bochica***, et montait sur un radeau où se tenaient les plus hauts dignitaires. Arrivés au centre du lac, ils jetaient dans les eaux du lac, en offrande aux dieux, des poignées d'or et d'émeraudes. Tout autour du lac, les fidèles chantaient des invocations. C'est ce rituel, que représente sur 20 centimètres de longueur le célèbre radeau en or du Musée, qui excita tant la convoitise des ***conquistadores***.

Les mines d'or et d'émeraudes étaient déjà exploitées par les ***Indiens*** précolombiens au VIIe siècle avant J.-C. Ils excellèrent dans l'orfèvrerie et leur art eut plutôt un caractère religieux. Les temples étaient décorés de pierres précieuses et recouverts d'or fin. D'innombrables figurines anthropomorphes et statuettes votives étaient utilisées lors des cérémonies rituelles et des sacrifices aux dieux. Les ***Indiens*** portaient des bijoux en or durant leur vie, et se faisaient enterrer avec à leur mort.

Les peuples précolombiens utilisaient des alliages tel le tumbaga constitué d'or, de cuivre et d'argent, en proportions variables. Par une réaction chimique avec le suc d'une plante, ils obtenaient alors un effet comparable à celui de l'or pur. Les ***Espagnols*** se laissèrent abuser plus d'une fois... après s'être émerveillés devant l'étalage de toutes ces richesses.

Les ***Quimbayas***, peuple pacifique, vécurent dans la région du **Cauca moyen** et furent de remarquables orfèvres. Cette peuplade disparue nous a laissé de somptueux objets, notamment des bijoux finement ciselés (bagues, anneaux d'oreilles, narigueras ou ornements de nez, pendentifs, diadèmes...) mais aussi de magnifiques casques, plaques pectorales, masques d'or, statuettes de cérémonie et autres trésors sur lesquels ils reproduisaient parfaitement l'aigle, la chouette et la grenouille considérés comme des animaux sacrés.

Les ***Chibchas*** ou ***Muiscas*** occupèrent les hautes vallées, à l'est du rio **Magdalena** (près de l'actuelle **Bogota**) et **Tunja**. Leurs coutumes sont mieux connues : ils pratiquèrent l'agriculture, le tissage, l'art de la céramique et de l'orfèvrerie. Ils n'égalèrent pas les ***Quimbayas*** pour le travail de l'or, mais fabriquèrent néanmoins de splendides pièces de monnaie. Ils utilisèrent aussi la technique du tumbaga pour les bijoux et la statuaire religieuse.

Les ***Chibchas*** honoraient de nombreuses divinités dont la déesse-créatrice ***Bachué*** à l'origine de leur peuple. Les dieux ***Soleil*** et ***Lune*** furent aussi vénérés et quelques mythes nous sont rapportés par la tradition orale. Certains animaux telle la grenouille (symbole de la nation ***Chibcha***) et certaines pierres (pouvant représenter des ancêtres morts) étaient "sacrés".

Les cérémonies qui se déroulaient sur le lac de **Guatavita** furent les plus spectaculaires. Le radeau symbolisant la légende de l'***el dorado*** se trouve au Musée de l'Or. D'autres légendes racontent des épisodes de la vie de certains caciques (chefs) ou encore l'origine de l'humanité. Depuis combien de temps les peuples andins étaient-ils installés en **Nouvelle-Grenade** (**Colombie** actuelle) ?

Parmi ces peuples orfèvres, il faut citer d'autres tribus : les ***Sinus***, les ***Tolimas***, les ***Calimas***, les ***Taironas***. Elles avaient toutes des niveaux de développement différents, des qualités artistiques inégales. Mais elles ont toutes des origines qui restent des énigmes.

Un pectoral tolima

Le radeau symbolisant la légende de l'Eldorado et ce pectoral géométrique sont les deux vedettes du Musée de l'Or de Bogota. L'or n'avait pas pour les Indiens de valeur marchande, mais il représentait l'essentiel de cette civilisation toujours à la recherche de communications avec les dieux : il symbolisait l'éternité. Aussi les Indiens de cette région se faisaient-ils enterrer avec leurs pectoraux en or, ce qui incita les conquistadores à piller les sépultures.

San Agustin

Au sud de la **Colombie. San Agustin** reste le vestige archéologique le plus important et le plus ancien d'une civilisation encore mal connue qui s'étendait sur des territoires assez vastes et fertiles situés dans la région andine.

Statues, sanctuaires, chambres et reliefs en pierre jalonnent le site sans que personne ne soit parvenu à déterminer l'origine du peuple qui a édifié de tels monuments. Certains pensent que les civilisations péruvienne et bolivienne, notamment celle de **Tahuanaco** à quelques kilomètres du **lac Titicaca**, descendent directement de celle de **San Agustin**. Cependant, aucune preuve n'est venue étayer ou contredire cette hypothèse.

Une seule chose semble sûre : l'ancienneté de la civilisation agustinienne. En effet, lorsque les ***conquistadores*** espagnols arrivèrent à **San Agustin**, la ville, complètement envahie par la forêt vierge, avait déjà été abandonnée depuis plusieurs siècles. A leur arrivée au XVIe siècle, les ***Espagnols***, alors sous l'influence des foudres du clergé de l'Inquisition, furent choqués par ces idoles de pierre qui affichaient parfois un phallus dressé. Au nom du Christ, ils détruisirent immédiatement des témoignages précieux d'une civilisation isolée et inconnue. Deux siècles plus tard, le site subit de nouvelles déprédations, celles des chercheurs d'or.

Au début du XXe siècle, **San Agustin** était enfin officiellement protégé. Selon toute probabilité, l'extinction de la ville de **San Agustin** doit se situer vers la fin du VIIIe siècle mais les archéologues tergiversent encore sur sa date d'apparition. A **San Agustin**, les vestiges les plus étonnants restent ces immenses statues monolithes assez massives (la plus haute mesure près de quatre mètres), presque toutes différentes. Les plus travaillées représentent certainement des divinités. De manière générale, quatre crocs sortent d'une bouche démesurément large tandis que deux yeux immenses surmontent un nez aux narines dilatées. Les mains, posées sur la poitrine, brandissent souvent des objets : sceptres, outils, trophées ou autres. Certaines d'entre elles conservent encore aujourd'hui des traces de polychromie.

On présume qu'il s'agit de monuments funéraires individualisés pour mieux immortaliser les morts.

San Agustin

Sur une aire d'environ 500 km², les archéologues ont pu dénombrer 450 statues ; ils estiment qu'à l'origine elles se comptaient par milliers. Chacune, différente, a une forte valeur symbolique et sociale. Sociale par les différents groupes qu'elles évoquent (clergé, armée, artisanat...) et symbolique car chacune propose l'un des multiples visages du panthéon indien (ibis, lézard, serpent, grenouille...). Malgré tout ce paganisme, les Espagnols baptisèrent le site du nom de saint Augustin.

Outre ces statues, les archéologues ont découvert, à l'intérieur de sanctuaires souterrains, d'immenses sarcophages de plus de deux mètres de longueur et un matériel funéraire trop rudimentaire pour

permettre de tirer des conclusions valables. Pour éclaircir les points obscurs, les spécialistes des civilisations andines cherchent à effectuer des parallèles entre **San Agustin** et deux sites archéologiques assez proches : la **vallée du Cauca** et la **région de Tierradentro**. Tous deux présentent des similitudes étonnantes avec les grands monolithes et les sanctuaires agustiniens

Au Pérou

Au cœur des **Andes**, à 2430 mètres d'altitude, se cache l'une des plus fascinantes forteresses incas jamais construites au **Pérou : Machu Picchu**.

Vers 1200 un petit peuple guerrier déferle sur les hauts plateaux péruviens. Les ***Incas*** établissent leur capitale à **Cuzco**. De somptueuses constructions témoignent encore de la splendeur de cette civilisation, qui construisit dans tout l'empire des ensembles palatiaux extraordinaires.

Mais il faut attendre le règne de ***Pachacuti***, en 1428, pour voir les ***Incas*** se lancer dans une vaste politique de conquêtes territoriales. Après avoir fait tomber toutes les tribus indépendantes, ils s'attaquent aux quelques puissants empires péruviens déjà en place. La faible résistance opposée par les ***Chimus***, maîtres incontestés dans tout le nord du **Pérou**, permet aux ***Incas*** de dominer un territoire allant de l'**Equateur** au **Chili**. Lorsque les ***conquistadores*** espagnols s'emparent subitement du **Pérou**, en 1532, l'empire inca semble au faîte de sa gloire et de sa puissance fermement établies depuis plus d'un siècle.

Machu Picchu symbolise, mieux que tout autre élément d'architecture, le génie inca. Au nord de **Cuzco**, dans une dépression formée par le fleuve **Urubamba** dont elle domine les flots tumultueux, la ville se dresse sur une crête entourée de deux pics rocheux : **Machu Picchu**, le "vieux sommet" (3140 mètres) et **Huayna Picchu**, le "jeune sommet" (2743 mètres).

Quelques vagues mentions de la ville apparaissent ici ou là dans des récits de voyageurs du XIXe siècle mais la véritable redécouverte du site de **Machu Picchu**, abandonné et oublié depuis quatre cents ans, est le fait d'un archéologue nord-américain, ***Hiram Bingham*** qui, en 1911, pénètre un peu par hasard dans cette forteresse inca.

Commencée sous le règne de ***Pachacuti***, ou peut-être sous celui de son successeur, la ville de **Machu Picchu** semble ne jamais avoir été totalement achevée. Des pierres retrouvées en cours de taille, sans la moindre organisation apparente, prouvent que la ville a dû être abandonnée assez précipitamment par le peuple inca.

Machu Picchu

Au centre de la forteresse se dresse le "Torreon", aménagé dans la roche vive pour servir probablement de lieu de sacrifices au dieu soleil Inti, divinité suprême des Incas. En effet, la religion populaire s'appuie sur la ferme conviction que l'Inca par excellence descend directement de l'astre solaire, d'où ce culte tout particulier qui lui est rendu. Une caverne méticuleusement appareillée complète le "Torreon" : il s'agit, selon Bingham, d'un tombeau royal destiné, sans doute, à recevoir une momie. Mais l'absence totale d'inscriptions et de décorations à Machu Picchu ne permet, malheureusement, que de poser des hypothèses. Une série de seize bassins taillés à même le rocher et superposés en cascade traverse le complexe du "l'orreon". On ignore encore s'ils étaient cultuels ou utilitaires (irrigation, distribution d'eau). Vers l'est se trouve la zone réservée aux habitants avec ses maisons, bains et aqueducs, tandis qu'à l'ouest s'élèvent les édifices de culte. Sur un éperon rocheux surélevé, se dresse l'"intihualima", le "lieu où l'on emprisonne le soleil", sorte de cadran solaire destiné à servir de calendrier.

Au Chili

Située dans l'océan **Pacifique** à 3700 km des côtes du **Chili** et 4050 km de **Tahiti, l'île de Pâques**, petite surface volcanique de moins de 180 km^2, était pourtant appelée par ses habitants "***le nombril du monde***". Ses centaines de statues colossales, les ***moaïs***, sculptées dans le tuf du volcan **Rano-Raraku**, pesant plusieurs tonnes et tournant le dos à l'océan, conservent encore aujourd'hui tout leur mystère. Les têtes sont hautes de trois à six mètres et certaines sont coiffées d'un chapeau ou chignon de pierre rouge qui mesure deux mètres supplémentaires.

Quelle fut la civilisation dont elles portent témoignage ? Comment furent-elles transportées sur dix, parfois vingt kilomètres ?

Fantastiques statues gigantesques aux grands yeux de corail blanc... Debout ou couchées, certaines inachevées... Des divinités probablement, construites entre l'an 1000 et 1500, dressées sur des autels de pierre, les "ahu", érigés par chacune des tribus et sur lesquels chaque ***moaï*** personnalisait un ancêtre. De nombreux pétroglyphes figurent l'homme-oiseau et ***Maké-Maké***, le dieu créateur des humains de la mythologie pascuanne. Des tablettes gravées de pictogrammes, les ***rongo-rongo***, restent énigmatiques et témoignent d'un culte disparu.

Le culte de l'homme-oiseau, le ***Tangata Manu***, donnait lieu chaque année à des cérémonies à **Orongo**. Celui qui rapportait le premier œuf pondu par les

L'île de Pâques :
la plage d'Anakena

Nous voyons ici la seule véritable plage de sable fin de cette île volcanique dont le point culminant se situe à 560 mètres de hauteur. C'est là qu'a débarqué le premier roi légendaire de l'île de Pâques, Hotu Matua, qui serait venu de Tahiti.

hirondelles de mer, dans des conditions physiques très difficiles, était proclamé chef militaire et second roi pour un an. Les cérémonies organisées par les prêtres comportaient des sacrifices humains.

La population se répartissait en dix clans tous ensemble gouvernés par un roi. Le premier roi débarqua au nord de l'île accompagné de sa femme ***Vakai a Hiva***, de nombreux serviteurs et de plusieurs centaines de personnes. Après lui, il y eut environ une trentaine de souverains appartenant tous au même clan ***Miru***, jusqu'en 1862. Les clans étaient très hiérarchisés : prêtres (choisis parmi les nobles), guerriers, cultivateurs et esclaves.

La tradition nous rapporte des luttes claniques dues, peut-être, à la surpopulation et aussi à une invasion opposant les hommes aux "Longues Oreilles" et ceux aux "Courtes Oreilles". Ces combats pourraient expliquer la destruction partielle de certaines statues.

Le peuplement de l'île remonterait au Ve siècle de l'ère chrétienne. Mais d'où venaient les ***Pascuans*** ? Du **Pérou** pour certains... d'autres îles de **Polynésie** pour la majorité des experts... Une certitude : l'île fut découverte le jour de Pâques 1722 par le Hollandais ***Roggeveen***. Sa population fut en grande partie massacrée à la suite des razzias d'esclavagistes péruviens en 1862. L'île est territoire chilien depuis 1888. En 1990, l'île comptait 2130 habitants dont 1500 enfants. 69 % de la population descend des ***Maoris***, civilisation polynésienne de **Nouvelle-Zélande** qui compta parmi les plus farouches adversaires des colons occidentaux.

Ces quelques faits historiques et les travaux des archéologues n'apportent que peu de réponses à toutes les questions que l'on se pose devant les statues de l' **île de Pâques** qui conservent l'essentiel de leurs mystères. Une tradition évoque une comète terrorisante qui aurait fait abandonner les 300 statues laissées en chantier.

Quelques moaïs

Les coiffures en pierre volcanique rouge proviennent du volcan Puna Pau, alors que le corps des statues lui-même vient du volcan principal Rano-Raraka.

Au Maroc

Pour illustrer le **Maroc**, nous avons préféré présenter ses richesses naturelles aux célèbres trésors des villes impériales où la main des artistes a laissé des témoignages éclatants des dynasties régnantes.

Mais l'histoire du **Maroc** n'a pas commencé avec elles. Ses côtes, partagées entre l'**Atlantique** et la **Méditerranée**, avaient attiré des colons depuis l'Antiquité. Sur place vivaient déjà les ancêtres des ***Berbères***. Les ***Phéniciens*** furent les premiers à établir des comptoirs sur les côtes où ils pratiquaient des échanges avec les populations de l'intérieur, bien que **Carthage** régentât la région. Bientôt, cependant, l'influence de **Carthage** arriva jusqu'au royaume de **Mauritanie**, composé de différentes tribus berbères. Puis **Rome** remplaça **Carthage** et **Tingis**, la future **Tanger**, devint même une cité romaine. De cette époque **Volubilis** est le témoignage le plus important. Les échanges furent nombreux avec la mère-patrie. La province était riche et elle fournit notamment **Rome** en produits agricoles. Ce fut ensuite le tour des ***Vandales*** qui chassèrent l'occupant romain ; nombreux furent aussi les juifs qui cherchèrent ici un refuge loin des persécutions des chrétiens.

Au VIIe siècle arriva la dernière vague d'envahisseurs, les ***Arabes***, pour qui l'**Atlantique** allait constituer l'ultime frontière occidentale.

Les ***Berbères*** se révoltèrent souvent contre l'envahisseur arabe et l'histoire fut souvent sanglante. Le pouvoir berbère alterna avec le pouvoir arabe lui-même déchiré par ses luttes internes.

Puis, pendant près de dix siècles se succédèrent de très nombreuses dynasties. Toujours au nom d'***Allah***, car même les ***Berbères*** avaient été islamisés. Il y eut ainsi principalement les ***Idrissides***, les ***Fatimides***, les ***Almoravides***, les ***Mérinides***, les ***Princes saadiens*** qui ont laissé les superbes tombeaux de **Marrakech**. On peut comparer leur règne à la Renaissance européenne tant ils feront connaître une explosion de richesses au **Maroc**. Ils seront chassés par les sévères ***Alaouites*** qui, avec ***Moulay Ismail***, prendront **Meknès** pour capitale. Puis ce sera le XIXe siècle et la colonisation. Face à l'occupant, les tribus, leurs chefs et leurs dissensions se réveilleront. Le 2 mars 1956, l'indépendance du **Maroc** est proclamée.

La vallée des Ammeln

A 200 km d'Agadir, la région de Tafraoute présente un spectacle enchanteur, notamment en février, lors de l'éclosion des amandiers. Le village de Tafraoute est perché à 1 200 mètres d'altitude au pied d'extraordinaires montagnes de granit. De ce village on gagne la vallée des Ammeln entourée de façon presque surréaliste par les 2 200 mètres du djebel el Kest. Les oliviers et les amandiers font la richesse de cette région.

En Tunisie

Les ***Berbères***, aujourd'hui très minoritaires en **Tunisie**, sont les plus anciens habitants historiquement connus de l'**Afrique du Nord** (IIe millénaire av. J.-C.). Ils furent appelés "barbares", c'est-à-dire "étrangers", par les ***Grecs*** puis par les ***Romains***. Ce nom déformé leur est resté. Eux-mêmes se désignent comme les "***Imazighen***", les "hommes libres".

Les ***Phéniciens***, venus de Tyr, débarquent au XIIe siècle av. J.-C. Ils fondent **Utique, Bizerte** et **Sousse**. Plus tard, la légendaire reine ***Elissa***, ou ***Didon***, fonde **Karl Hadasht**, la "Ville nouvelle", **Carthage**, en 814, av. J.-C. La nouvelle cité est à l'origine d'une civilisation sémite qui a duré mille ans.

Les ***Berbères*** sont peu à peu influencés par les contacts avec cette civilisation carthaginoise. Les navires de la cité marchande vont chercher l'argent d'**Espagne**, l'étain des **Cornouailles** et l'or de **Guinée**. Mais les ***Carthaginois*** se heurtent aux ***Grecs*** de **Sicile** puis aux ***Romains***. La flotte de **Carthage** est coulée. Il lui faut payer tribut et affronter une révolte de ses mercenaires dont ***Flaubert*** s'est inspiré pour écrire son *Salammbô*. Malgré ses victoires en **Italie**, ***Hannibal*** ne réussit pas à s'emparer de **Rome**. Rappelé par **Carthage**, il est battu à **Zama** par ***Scipion l'Africain*** et son allié le roi berbère ***Massinissa***. Mais **Carthage** reprend ses activités commerciales et ***Caton*** ne cesse de réclamer sa destruction, terminant ses discours par le fameux :... *Carthago delenda est !* Après un siège de trois ans, la ville est prise par ***Scipion Emilien*** en 146 av. J.-C., et rasée.

De l'**Afrique romaine**, la **Tunisie** a gardé de splendides et nombreuses mosaïques ainsi que d'importants témoignages urbains : forums, temples, arcs de triomphe, thermes, théâtres et amphithéâtres (**El Jem** est le plus célèbre). **Dougga**, l'antique **Thugga**, était déjà importante à l'époque du roi numide ***Massinissa***. Œuvre unique de son style, le mausolée lybicopunique date du IIIe siècle av. J.-C. Haut de 21 mètres, il est décoré de pilastres ioniques, de fragments de statues de cavaliers au troisième étage et surmonté d'une pyramide encadrée par quatre statues de génies ailés.

La cité romaine est une des mieux conservées d'**Afrique**. Ses monuments ont été édifiés aux IIe et IIIe siècles. Le théâtre est resté en bon état de conservation et dispose de 3500 places. Face à la plaine, le **Capitole** est doté d'un beau portique de six colonnes et d'un sanctuaire dédié à la triade ***Jupiter-Junon-Minerve***.

El Jem

Ce magnifique amphithéâtre rappelle l'importance économique (agriculture, oliveraies) de cette province que les Romains couvrirent de monuments civils et religieux. L'amphithéâtre de El Jem est presque aussi grand que le Colisée de Rome et plus grand que celui de Nîmes. El Jem est l'antique Thysdrus des Romains.

La place de la Rose des Vents permet encore d'y déchiffrer les noms des douze vents d'**Afrique** gravés dans la pierre. Le temple de ***Junon-Caelestis*** abritait les mystères de la déesse punique romanisée ***Tanit***. Les arcs de ***Septime Sévère*** et de ***Sévère Alexandre*** évoquent la promotion sociale de ces empereurs romains d'origine berbère.

En Egypte : Gizeh

Les pyramides et le Sphinx

Après divers essais de pyramides (à degrés à Saqqarah, avec une base carrée à Meidoum, rhomboïdale à Dahchour), les Egyptiens trouvent la forme la plus satisfaisante à Dahchour, encore, puis, à Gizeh, ils atteignent la perfection. La pyramide de Khéops est la seule merveille du monde qui soit encore en place aujourd'hui.

A quelques kilomètres au sud du **Caire**, s'étend le plateau de **Gizeh** choisi par les pharaons de la IVe dynastie pour y édifier leur monument funéraire. Les trois grandes pyramides si réputées s'élèvent, majestueuses, au bord du désert libyque, renfermant les secrets de ces rois morts il y a près de 4500 ans.

L'idée de se faire enterrer dans une pyramide remonte au temps du roi ***Djéser***, premier pharaon de la IIIe dynastie, et de son architecte de génie, ***Imhotep***, inventeur de l'utilisation de la pierre dans l'architecture égyptienne. A l'Ancien Empire, les ***Egyptiens*** choisissent comme culte prioritaire celui du créateur, le dieu-soleil ***Rê***. Après sa mort, le souverain, promis à un devenir solaire, rejoint son père et s'identifie à lui. La pyramide, représentation du rayon de soleil par excellence, doit aider le pharaon à se rendre auprès de ***Rê*** pour pouvoir parcourir, dans la barque sacrée, les cycles diurne et nocturne du soleil.

Snéfrou, fondateur de la IVᵉ dynastie, édifie, à **Meidoum** et à **Dahchour**, trois pyramides dont les solutions originales aboutissent rapidement à l'élévation de la pyramide parfaite de dimensions colossales. En effet, c'est ***Khéops***, son successeur, qui, le premier, construit un tel monument.

Il a tant marqué les esprits des voyageurs depuis les temps les plus reculés qu'il a été intégré à la liste des Sept Merveilles du Monde antique. 230 mètres de côté à la base, 137 mètres de hauteur, 2 300 000 blocs : tel est l'exploit réalisé pour "***Akhet Koufou***", soit "***Lumineux est Khéops***", nom donné par les ***Egyptiens*** pour désigner la Grande pyramide.

Un peu plus loin, se dressent les pyramides de ses successeurs, ***"Our Khafrê" (Grand est Khéphren)*** et ***"Neter Menkaourê" (Divin est Mykérinos)***, tout aussi impressionnantes mais de moindres dimensions.

Des ruelles de mastabas, tombes des hauts fonctionnaires, quadrillent le reste du plateau. Décorées de scènes de la vie quotidienne, les chapelles de ces tombes apportent des renseignements des plus précieux sur la vie en **Egypte** dans l'Antiquité.

A quelques mètres du temple de la Vallée de ***Khéphren***, le grand Sphinx, gardien de la nécropole, surveille les agissements de ces hommes qui, depuis 4500 ans, viennent rendre visite aux pharaons éternels.

Toutankhamon

Aucun nom n'évoque autant que celui de ***Toutankhamon*** la gloire, la richesse, la magnificence. Pourtant, rien ne prédestinait le jeune pharaon à tant de célébrité puisqu'il n'a eu, au cours de l'histoire égyptienne, qu'un rôle tout à fait minime et un règne des plus brefs.

Selon toute vraisemblance, ***Toutankhamon*** est un cousin ou un neveu d'***Akhénaton*** (***Aménophis IV*** de son nom de couronnement), ce pharaon mystique qui hissa au rang de divinité dynastique le disque solaire, ***Aton***, pour endiguer la puissance grandissante du clergé d'***Amon***.

Peu avant sa mort, ***Akhénaton*** nomme comme co-régent le mari de sa fille aînée. ***Smenkharê***. Mais celui-ci ne semble pas avoir survécu à son beau-père et le seul prétendant au trône devient donc le jeune ***Toutankhamon*** qui, pour légitimer son pouvoir, épouse la deuxième fille d'***Aménophis IV, Ankhesenpaaton***. Il n'a alors que seize ans et sous l'influence exercée par son entourage hostile au schisme religieux du pharaon hérétique, ***Toutankhamon*** abandonne ***Aton*** pour se vouer entièrement à ***Amon***. Chétif et de faible constitution, le jeune souverain s'éteint deux ans plus tard des suites d'une commotion cérébrale.

Comme l'exige la coutume, il se fait enterrer dans la **Vallée des Rois**, dans un caveau prévu, au départ, pour son successeur direct, le Divin Père ***Aï***. Masquée par les déblais entassés lors de l'excavation de la sépulture de ***Ramsès VI***, qui lui est mitoyenne, la tombe de ***Toutankhamon*** sombre dans l'oubli le plus total jusqu'en 1922, date à laquelle ***Howard Carter*** et ***Lord Carnavon*** découvrent cette sépulture.

Depuis cinq ans déjà, les deux Anglais soupçonnaient l'existence de ce tombeau grâce à la découverte d'amulettes gravées au nom de ***Toutankhamon*** et trouvées aux abords des tombes de ***Ramsès VI*** et ***Ramsès IX***. Enfin, le 4 novembre 1922, le dégagement d'une marche taillée dans le roc venait confirmer cette hypothèse.

Comparée aux immenses tombes ramessides qui mesurent parfois jusqu'à 100 mètres de long, celle de ***Toutankhamon*** est très petite. L'escalier conduit à un long couloir en pente qui donne sur un vestibule permettant d'accéder à un magasin puis à la chambre funéraire, desservie, elle-même, par une petite pièce, le "Trésor" de ***Carter***.

On imagine mal comment une telle masse d'objets précieux, aujourd'hui regroupés au **Musée du Caire**, pouvait tenir dans ces seules quatre pièces. D'après les rapports de fouilles, il semble que tout était entassé dans le plus parfait désordre.

En fait, on sait qu'au début de la XXe dynastie, la tombe avait été violée par des pilleurs qui, surpris, s'étaient enfuis après avoir tout rangé à la hâte. Un haut fonctionnaire de la nécropole avait alors refait l'inventaire intégral des trésors puis refermé la tombe à l'aide de sceaux retrouvés intacts par les égyptologues. On peut donc affirmer, sans trop d'erreur, que nous possédons l'intégralité des objets déposés lors de l'enterrement du jeune ***Toutankhamon***.

Lors de l'ouverture du tombeau, c'est la chambre funéraire qui a suscité le plus d'admiration et de surprise. Certes, on connaissait déjà l'existence de telles parures mais, chez ***Toutankhamon***, la réalité dépasse la fiction.

Quatre chapelles en bois plaqué d'or et incrusté de pâte de verre, emboîtées les unes dans les autres, recouvraient un sarcophage en pierre. Dessous, trois cercueils, de taille dégressive, et un masque funéraire en or étaient posés sur la momie. Les deux cercueils extérieurs, en bois doré, représentaient le pharaon dans l'attitude d'***Osiris***, le fléau et le sceptre croisés sur la poitrine. Le cercueil intérieur, lui, était en or massif orné d'émail et incrusté de pierres semi-précieuses : soit 110 kilos en tout pour un objet mesurant 1,85 mètre de longueur.

Les autres pièces regorgeaient d'objets les plus divers en albâtre, en or, en bois doré, en pierres précieuses ou semi-précieuses, en ébène, en argent : amulettes, barques funéraires, vases, ouchebtis, lits, sièges, bijoux, coffres, parures et toutes sortes d'objets destinés à accompagner le jeune ***Toutankhamon*** dans l'au-delà.

Le masque funéraire

Contrairement au masque d'or de Toutankhamon où, sur le némès, la coiffure traditionnelle du pharaon, alternent des bandes d'or et des bandes du bleu éclatant des lapis-landi, le masque funéraire du jeune souverain apparaît totalement en or pour accentuer encore l'impression de divinité. Toutankhamon est représenté ici avec le visage d'Osiris.

En Ethiopie

Ce pays fut celui de la ***Reine de Saba***. La légende dit qu'elle rendit visite à ***Salomon*** à **Jérusalem** et que, devant la magnificence de ses caravanes riches du commerce de l'encens, le roi, perdu dans la construction de son temple, paraissait, malgré sa beauté, bien rustre. La ***Reine de Saba*** préféra rentrer dans ses riches contrées pour mettre au monde l'enfant de ***Salomon***. Ce fils, le futur ***Ménélik***, alla à son tour rendre visite à ***Salomon*** pour qu'il le reconnaisse comme son héritier et, lors de ce voyage, ce fils étrange n'hésita pas à dérober les Tables de la loi pour conférer au pays de sa mère le caractère divin de celui de son père.

L'**Ethiopie** est un terme grec qui signifie "gens au visage brûlé" et il correspondait jadis à un territoire beaucoup plus vaste, englobant au nord le pays de **Kouch**, terre des prophètes hébreux, et la **Méroé** des Grecs. Les ***Egyptiens*** étendirent progressivement leur territoire au sud, **"le pays de Pount"**, s'installant à **Napata** et couvrant la région de monuments semblables à ceux de l'**Egypte**. Ce fut l'époque des "***pharaons noirs***" et **Napata** fut, vers 930, leur capitale. Par la suite, ***Cambyse*** lança sans succès ses troupes dans la région, les marchands grecs arpentèrent les côtes de la **mer Rouge** mais ce furent les incursions romaines qui éprouvèrent la région. En 24-23, ils brûlèrent **Napata** et la capitale fut transportée à **Méroé**. Au IIIe siècle, l'**Ethiopie** fut occupée par des ***Nubiens*** et des ***Blemmyes***.

Ce fut l'époque du brillant royaume d'**Axoum** qui dura plus de dix siècles. L'**Ethiopie** devient chrétienne au IVe siècle. Au Xe siècle, après une longue période de discordes, une femme, ***Judith***, mène une révolution et repousse les princes régnants dans le **Choa**. Onze monarques lui succédèrent, parmi eux, un dénommé ***Lalibela***, célèbre pour les monuments dont il couvrit la ville. Puis un héritier de la famille réfugiée dans le **Choa** rétablit l'ordre, malgré l'alliance des musulmans et des juifs fallachas. Au XVe siècle, l'**Ethiopie** connaît à nouveau la prospérité.

Au XVIe siècle, l'islam soutenu par l'empire ottoman lance des assauts furieux contre cette terre chrétienne en territoire africain. C'est l'époque où les ***Portugais*** en quête d'une route vers l'**Inde** s'intéressent soudain à ce pays quasi mythique.

Gondar

A l'extrémité occidentale, Ziguinchor, ville frontière de la Casamance entre le Sénégal et la Guinée-Bissau, à l'extrémité orientale, Djibouti, en Afrique, qui fait face à Aden, en Asie, de l'autre côté de la Mer Rouge. Sur la même latitude, d'ouest en est, Bamako au Mali, Ouagadougou au Burkina Faso, Kano au Nigéria, N'Djamena au Tchad, Sannar au Soudan et Gondar en Ethiopie. Nous sommes à moins de 2000 km de l'équateur ; à l'ouest, la forêt vierge, à l'est de désert, avec la mer dans chacun des cas. A l'ouest, une végétation luxuriante, à l'est, rien, un sol aujourd'hui désespérément aride. Au bord du lac Tana, les vestiges de Gondar, l'ancienne capitale éthiopienne, véritable cité palatiale du XVIIe siècle. Ici, nous voyons ce que fut le palais de Fasilidas, le premier des empereurs gondariens, qui régna de 1632 à 1667. Cette construction évoque l'époque portugaise de l'Ethiopie. Les chrétiens éthiopiens étaient menacés de toute part par les musulmans et leur farouche résistance, contre toute logique, vint aux oreilles des Portugais à la recherche d'une route vers les Indes. Ils avaient déjà essayé d'entrer en contact avec le "Pays du prêtre-Jean". La première alliance fut conclue en 1515, les Portugais s'engageaient à soutenir les Ethiopiens contre les musulmans. Malgré tout, ces derniers détruisirent Axoum. La capitale fut alors transférée à Gonda : ce site répondait à une prédiction, comme toujours en Ethiopie. Gondar fut à une époque la deuxième ville d'Afrique, avec une population de 100 000 habitants.

En Angola

L'**Angola** est situé au sud-ouest de l'**Afrique centrale** avec, pour pays frontaliers, le **Congo** et le **Zaïre** au nord, la **Zambie** et le **Zaïre** à l'est et la **Namibie** au sud. Ce pays possède 1650 km de côtes sur l'océan **Atlantique**. Des peuples bantous, venus du **Nigéria** et du **Cameroun** actuels s'installèrent au Xe siècle de notre ère en **Angola**. Le royaume ***Kongo*** s'étendait en fait, sur le **Zaïre**, l'**Angola**, le **Congo** et le **Gabon**. Il avait pour capitale **Mbanza Kongo**, ville située dans la province de **Zaïre** de l'actuel **Angola**.

Avec une superficie de 1 246 700 km^{2}, soit plus de deux fois celle de la **France**, ce pays offre des climats variés. Les principaux cours d'eau prennent naissance dans le plateau central de **Bié**. Le fleuve **Kwanza** rejoint l'**Atlantique**. La rivière **Kasaï** coule vers le nord au **Zaïre** où l'on peut admirer les chutes de **Mai Munene**. D'autres rivières et fleuves coulent dans toutes les directions et d'autres chutes tombent en cascade, telles les chutes de **Kalandula** (appelées autrefois chutes du **Duque de Bragança**) dans la province de **Malanje**.

Dans la province de **Benguela** des monts culminent à 2620 mètres (monts **Moro Moco**) ; dans le nord du pays (province de **Cabinda**) règne la forêt dense, et sur les plateaux intérieurs, la forêt claire. La savane domine presque partout pour laisser la place à la steppe très pauvre, dans le sud, où se trouvent les dunes du désert de **Namibie**.

La flore est particulièrement diversifiée. On y trouve des baobabs dans la province de **Bengo**, des cactées sur le littoral du **Benguela** et une plante très rare du désert de **Namibie**, appelée "welvitschia mirabilis".

La faune est aussi très riche et variée. Des parcs naturels nationaux sont aménagés dans différentes provinces du pays afin de protéger les espèces existantes. Ainsi dans la réserve du parc naturel d'**Iona** évoluent de magnifiques zèbres. Ce sont surtout les éléphants qui peuplent le parc de **Quissama** dans la province de **Bengo**. Et, surtout, les antilopes noires géantes du parc de **Kangandula** dans la province de **Malanje** font l'admiration des visiteurs.

Il existe de nombreux lieux de promenade, tel **Noki**, petit port fluvial à la frontière avec le **Zaïre**. Là le fleuve **Zaïre** est spécialement impressionnant.

Les chutes de Kalandula

Ces chutes spectaculaires, mais cependant beaucoup moins importantes que celles de Victoria Falls, se situent au nord-ouest de l'Angola, dans la province de Malanje. Au temps de la présence portugaise, ces chutes s'appelaient "Duque de Bragança" en hommage à la famille royale portugaise.

Aux Seychelles

Jean Moreau de Sécheles, contrôleur général des Finances des ***Louis XV***, serait bien étonné de voir cet archipel (composé de 92 îles volcaniques et îlots coralliens) perdu dans l'**océan Indien** au nord-est de **Madagascar**, au hit-parade des destinations touristiques. Dès le Xe siècle, des marchands arabes s'y installèrent et, aux XVIe et XVIIe siècles, les **Seychelles** constituèrent des escales sur la route des **Indes**. A la même époque, des pirates s'y réfugièrent après avoir attaqué des navires. Ces îles ne furent explorées systématiquement qu'au XVIIIe siècle sur l'ordre de ***Mahé de la Bourdonnais***, gouverneur général des **Mascareignes. Mahé**, la plus grande île, porte son nom. **Praslin et Silhouette** sont de même désignées ainsi en hommage à des officiers du roi.

Mahé et **Praslin**, les deux îles principales de ce paradis retrouvé, sont entourées d'une poussière d'îles dont la spectaculaire **Bird Island**, minuscule refuge des oiseaux de mer d'un kilomètre sur deux, et les îles **Cousin** et **Cousine**, magnifiques réserves naturelles (sternes blanches ou hirondelles de mer, goélands, frégates, colibris...).

Praslin, l'île de granit rose, à 36 km de **Mahé**, renferme la célèbre **Vallée de mai**. Dans cette splendide réserve botanique, poussent des orchidées, des fleurs géantes ainsi que des arbres tels des acacias et de nombreuses variétés de palmiers dont les lataniers et les célèbres "cocos de mer". Une autre réserve naturelle tout aussi merveilleuse est l'atoll d'**Aldabra**, le plus grand atoll de corail du monde dont le lagon s'étend sur environ 30 km de longueur. Elle abrite des tortues géantes qui peuvent vivre jusqu'à 200 ans et qui pèsent 300 kg.

On a souvent reproché aux dépliants touristiques de présenter les plages de sable blond et fin, lagon d'eau transparente, récifs coralliens, refuges de poissons multicolores, rochers aux formes pittoresques, profusion de cocotiers, fleurs exotiques et tortues géantes... comme des clichés quelque peu artificiels, alors qu'en fait il ne s'agit que des attraits naturels d'une région particulièrement gâtée par la nature. Et le tourisme de luxe qui s'est greffé sur les activités traditionnelles de l'île, souvent déficitaires : pêche artisanale, culture du thé, de la vanille ou de la cannelle, s'est révélé un facteur essentiel de l'économie des **Seychelles**.

Mahé

Les îles de l'océan Indien présentent un nombre incalculable de côtes dotées des mêmes atouts : soleil, mer limpide, plages de sable d'une exceptionnelle finesse, forêt de palmiers, de cocotiers offrant un peu de fraîcheur... Ce paradis naturel se trouve au nord-est de Madagascar.

En Australie

L'**Australie**, souvent comparée à un gigantesque radeau situé de part et d'autre du tropique du Capricorne, constitue la plus grande île du monde (3850 km de l'est à l'ouest, 3200 km du nord au sud) avec une superficie égale à quatorze fois celle de la **France**. Au cœur de ce continent, à environ 450 km au sud-ouest d'**Alice Springs**, se trouve le plus grand monolithe de la planète : **Ayers Rock**. Il s'agit d'un immense rocher dont le périmètre atteint 9 km et la hauteur 348 m. Il se serait formé il y a plus de 600 millions d'années.

Cet énorme bloc de grès arrondi est devenu un site touristique très réputé dont les teintes passent du jaune au pourpre au cours de la journée. La légende affirme que cette coloration provient du sang répandu lors d'une gigantesque bataille entre serpents.

Les aborigènes sont probablement venus du **Sud-Est asiatique**, il y a plusieurs dizaines de milliers d'années. Ils vivaient de la chasse et de la cueillette. Leur vie sociale était profondément liée aux mythes et au rituel. Le site d'**Ayers Rock** était un lieu sacré, réservé aux hommes, qui seuls pouvaient accéder aux grottes dont les parois étaient décorées de peintures retraçant la vie quotidienne des habitants de l'île. Les rites d'initiation des hommes avaient pour thèmes la mort et la renaissance.

Seuls les Anciens ayant la connaissance du "Rêve" avaient le droit d'exercer le culte. L'Eternel Temps du Rêve était intimement lié à la mythologie de la création : le soleil, la lune et les animaux mythiques tels que les wallabies, les serpents, les dingos, les kangourous jouèrent un rôle primordial. Le serpent arc-en-ciel, partout présent, symbolisait la fertilité. Les "***héros du ciel***" étaient les premiers ancêtres totémiques des hommes. Le clan portait le nom de son totem, et le totem assistait les membres du clan.

Au cours des cérémonies religieuses, les mimes et les danses avaient pour but l'entrée en communication avec les esprits des morts.

Les aborigènes n'ont jamais été très nombreux. Aujourd'hui ils sont environ 150 000. Ils sont désormais protégés dans des réserves ; ceux qui ont quitté leur territoire naturel se retrouvent souvent dans des conditions urbaines difficiles.

Ayers Rock

Ayers Rock est l'une des merveilles naturelles les plus spectaculaires. Situé dans le parc national d'Uluru, il se trouve au cœur de la région désertique de Red Center au nord du pays. Ce monolithe de forme tabulaire représentait la montagne sacrée des ancêtres des aborigènes, venus en Australie il y a 40 000 ans alors que les Européens n'y arrivèrent qu'au XVIIIe siècle.

LES SEPT MERVEILLES DU MONDE

La première liste des Merveilles du monde fut établie par un auteur grec ; aussi, il n'est pas étonnant qu'elle ne comporte que des monuments répartis autour du bassin méditerranéen. Seule la pyramide de Gizeh, chronologiquement le premier de ces sites exceptionnels par leurs dimensions ou leurs richesses, nous est parvenue de l'Antiquité. Dès l'époque de Djéser (2780 av. J.-C.), les Egyptiens dressèrent des pyramides pour y déposer les dépouilles de leurs pharaons ou de leurs reines. Cette pratique se développa pendant douze siècles, mais c'est la **pyramide de Gizeh**, élevée pour Khéops près du Caire qui, avec ses 146 mètres de hauteur lors de sa construction, symbolise le sommet de la technicité et du gigantisme en matière de palais funéraires. Les 2 500 000 blocs de pierre qui ont servi à sa construction pèsent chacun entre deux et trois tonnes.

Les **jardins suspendus de Babylone** n'apparaissent qu'au VIe siècle av. J.-C. sur les terres fertiles de Mésopotamie (Irak actuel). Babylone, capitale culturelle et commerciale, a connu son apogée dix siècles plus tôt mais, après une longue période de troubles, elle se redresse – provisoirement – sous le règne de Nabopolassar. Son fils, Nabuchodonosor II, y multiplie alors les constructions de prestige. Ces fameux jardins “suspendus”, dont parle Hérodote, sont, en fait, les terrasses magnifiquement ornées de palais construits en gradins. Sur les bords de l'Euphrate, grâce à des systèmes d'irrigation sophistiqués, ils étalaient une luxuriante végétation, parfumée par des plantes exotiques.

Une légende veut qu'Alexandre le Grand soit né le jour même où un fou incendiait le **temple d'Artémis à Ephèse**, en 356 av. J.-C. Ce temple, élevé deux siècles plus tôt dans la grande ville d'Asie Mineure (Turquie actuelle), honorait la déesse chasseresse (la Diane des Romains), symbole aussi de fécondité. De dimensions colossales (110 mètres sur 50), entouré d'une double colonnade haute de 20 mètres et richement décoré, il devint un lieu de pèlerinage réputé. Alexandre, originaire de Macédoine où le culte d'Artémis était particulièrement vivace, fit relever les ruines du somptueux édifice lorsqu'il pénétra en Asie Mineure en 334 av. J.-C.

Ses conquêtes le mènent ensuite à Halicarnasse, un peu plus au sud. Là, dans la patrie d'Hérodote, un gouverneur nommé Mausole se fait édifier un tombeau gigantesque. A sa mort, en 353 av. J.-C., l'ouvrage n'est pas terminé et c'est sa sœur-épouse, Artémise, qui fait achever l'édifice de marbre blanc, surmonté à 40 mètres du sol par un char où les deux époux sont réunis. L'ensemble est si saisissant que le **tombeau de Mausole** donnera naissance au terme générique de mausolée.

Olympie était, outre la ville des Jeux qui s'y déroulaient tous les quatre ans (depuis le VIIe siècle av. J.-C.), la capitale religieuse de la Grèce antique. Au Ve siècle av. J.-C., Phidias, sculpteur et architecte, y érigea une statue du dieu des dieux, Zeus, d'une dimension et d'une richesse encore inconnues. Phidias semblait tout indiqué pour cette réalisation hors du commun, puisqu'il était le principal artisan de l'Athènes de Périclès. Le stratège, au faîte de sa gloire, avait voulu pour la cité où se côtoyaient Socrate, Sophocle, Hérodote et Anaxagore, un décor éblouissant. Si le **Zeus d'Olympie** a disparu, les frises du Parthénon témoignent encore du talent étonnant de Phidias. C'est à la fin de sa vie qu'il sculpta cette effigie de Zeus haute de 12 mètres. Assis sur un trône de bois précieux incrusté d'or et de pierreries, l'immense corps d'ivoire aux cheveux et à la barbe d'or forçait l'admiration des visiteurs qu'il attirait en foule.

Le nom de Charès, auteur du **colosse de Rhodes** vers 300 av. J.-C., n'a pas connu la même pérennité. Son Hélios, dieu du Soleil auquel était consacrée l'île de Rhodes, dominait pourtant le port de Lindos de ses 35 mètres de hauteur. Au IIIe siècle av. J.-C., Rhodes est une puissance maritime qui a essaimé de nombreux comptoirs et il est plausible que ce colosse ait été élevé pour célébrer la résistance des Rhodiens à la flotte grecque. Moulées au sol, les différentes parties de la statue sont ensuite montées progressivement, jusqu'à la tête, couronnée en étoile à la manière de la Statue de la Liberté de New York. Elle fut abattue par un tremblement de terre une soixantaine d'années après son érection, s'effondrant sans doute en grande partie dans la mer. Plusieurs expéditions sous-marines ont tenté d'en retrouver des bribes, sans succès.

Un nom encore évoque puissance, faste et rayonnement intellectuel : Alexandrie. Fondée dans le delta du Nil par Alexandre le Grand, la ville fut conçue comme un reflet de son pouvoir : plan rectiligne, temples et bâtiments imposants. Ptolémée Ier y créa un musée et la fameuse bibliothèque qui regroupait 700 000 volumes.

Un autre Ptolémée, astronome, mathématicien et géographe, s'y livra à des observations qui lui permirent de rédiger deux livres importants dans la connaissance de la terre et du globe céleste : *Hypothèses des planètes* et *Guide géographique*. Bien avant Galilée, on connaissait déjà le principe de rotation de la terre. Mais la “merveille” qu'abrita Alexandrie fut son phare. Ptolémée II fit relier l'île de Pharos, au large de la ville, par une jetée et y éleva une tour (dont Alexandre aurait déjà caressé le projet). Vers 280 av. J.-C. les travaux sont achevés : trois étages de marbre blanc couronnés par un péristyle circulaire où des feux brûlent toute la nuit, à une centaine de mètres au-dessus de la mer. Le résultat ébahit les spectateurs. Le phare dans son ensemble aurait dépassé de dix mètres la flèche de Notre-Dame de Paris. Comme la plupart des Sept Merveilles, **le phare d'Alexandrie** disparut dans un tremblement de terre.

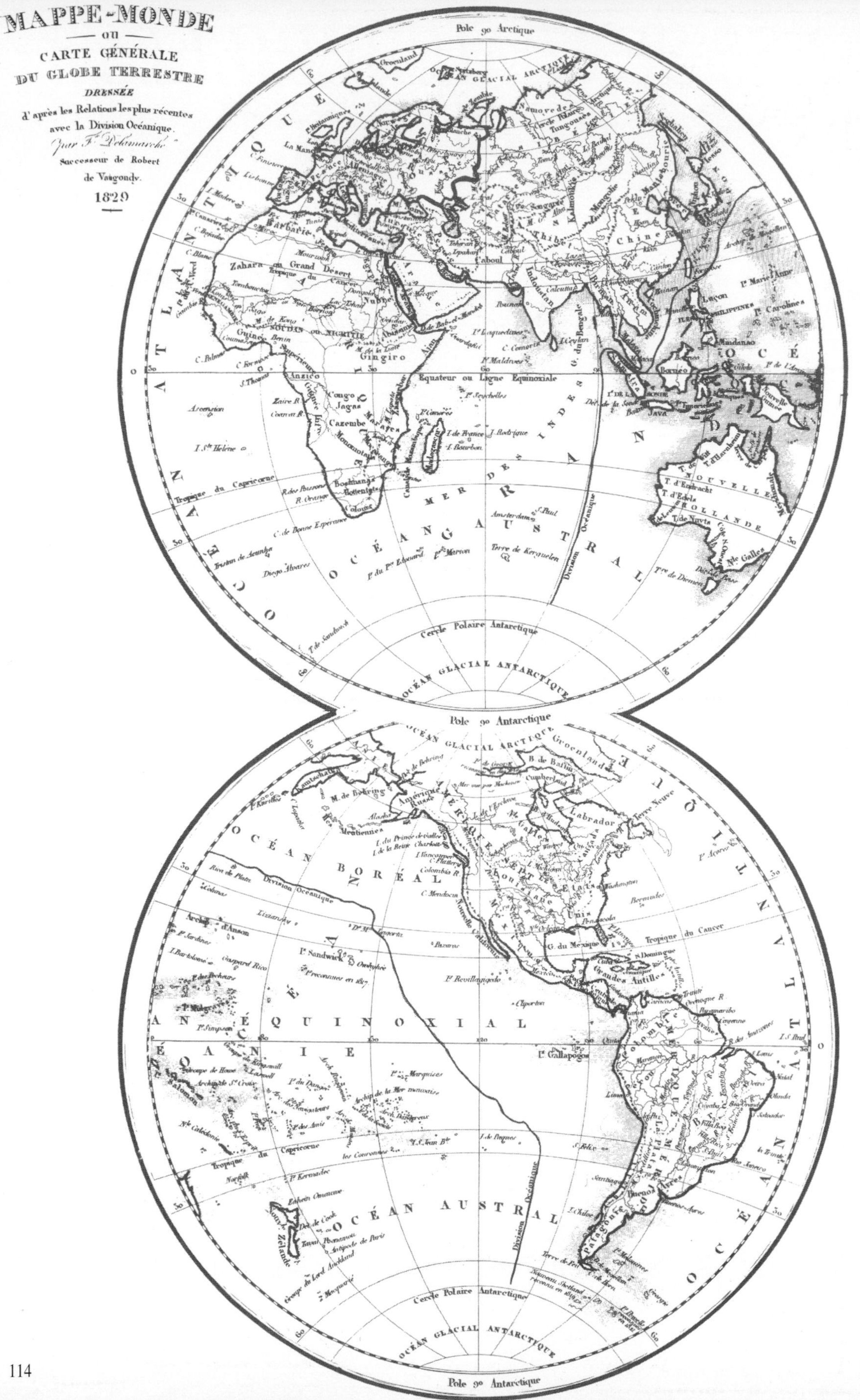
MAPPE-MONDE
OU
CARTE GÉNÉRALE
DU GLOBE TERRESTRE
DRESSÉE
d'après les Relations les plus récentes
avec la Division Océanique.
par Fr. Delamarche
Successeur de Robert
de Vaugondy.
1829
Pole 90 Arctique
Pole 90 Antarctique
Cercle Polaire Antarctique
OCÉAN GLACIAL ANTARCTIQUE
OCÉAN GLACIAL ARCTIQUE
Equateur ou Ligne Equinoxiale
Tropique du Capricorne
Tropique du Cancer
Zahara ou Grand Desert
Barbarie
Chine
Thibet
Indostan
MER DES INDES
OCÉAN AUSTRAL
NOUVELLE HOLLANDE
Division Océanique
Luçon
Java
Bornéo
Madagascar
Cabo(ul)
Gingiro
Cazembe
Terre de Kerguelen
OCÉAN BORÉAL
OCÉAN ÉQUINOXIAL
Groenland
B. de Baffin
Labrador
Cumberland
Terre Neuve
Amérique Russe
Louisiane
Etats Unis
G. du Mexique
Grandes Antilles
St. Domingue
Nouvelle Calédonie
Pes. Sandwich
Pes. Gallapogos
Pes. Marquises
Patagonie
Buenos Ayres
Nle. Zélande
Cercle Polaire Antarctique

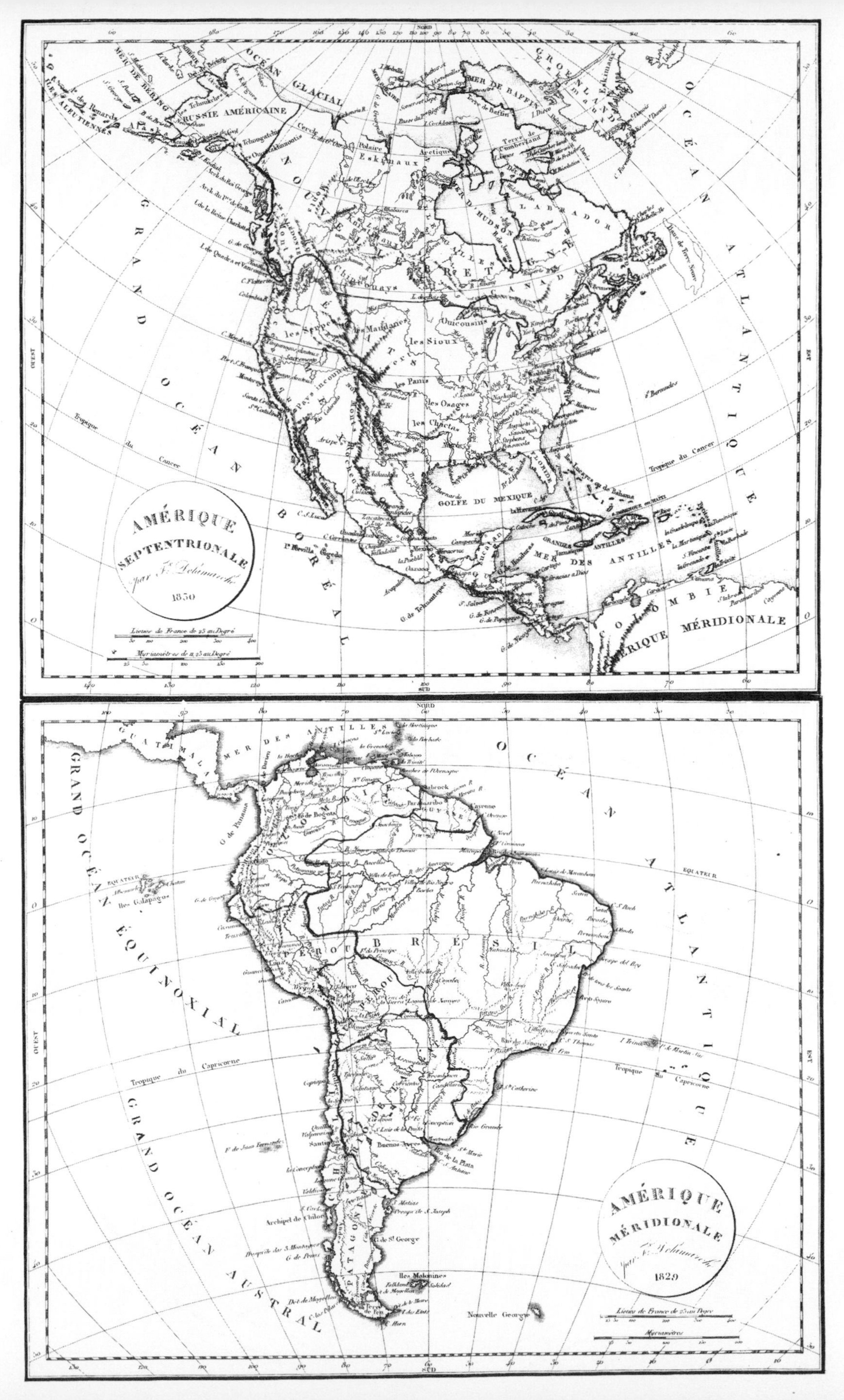
AMÉRIQUE SEPTENTRIONALE
par F. Delamarche
1830
OCÉAN GLACIAL
RUSSIE AMÉRICAINE
MER DE BAFFIN
GROENLAND
MER D'HUDSON
LABRADOR
CANADA
GOLFE DU MEXIQUE
MER DES ANTILLES
GRAND OCÉAN BORÉAL
OCÉAN ATLANTIQUE
Tropique du Cancer
AMÉRIQUE MÉRIDIONALE
par F. Delamarche
1829
GRAND OCÉAN ÉQUINOXIAL
GRAND OCÉAN AUSTRAL
MER DES ANTILLES
OCÉAN ATLANTIQUE
BRÉSIL
PÉROU
GUYANE
Iles Galapagos
Tropique du Capricorne
EQUATEUR
Iles Malouines
Nouvelle Georgie
NORD
SUD
OUEST
EST

L'EUROPE
avant l'Invasion
DES BARBARES
par Fs. Delamarche
1829.
OCEANUS ATLANTICUS
OCEANUS GERMANICUS
OCEANUS BRITANNICUS
OUEST
CALEDONIA
BRITANNIA
HIBERNIA
Eblana
Eboracum
Londinium
Boterium Prom
Fretum Gallicum
BELGICA
LUGDUNENSIS
AQUITANIA
NARBONENSIS
GALLÆCIA
HISPANIA
TARRACONENSIS
LUSITANIA
CARTHAGINIENSIS
BÆTICA
Corsica
SARDINIA
SICILIA
Baleares Iæ
Mare Tuscum
Mare Adriaticum
MARE IONIUM
GERMANIA
IMPERIUM
Frisii
Saxones
Cauci
Longobardi
Angli
Heruli
Rugii
Vandalii
Gepidæ
Gothones
Sicambri
Catti
Marcomanni
Quadi
Alemanni
Suevi
Noricum
Vindelici
Rhætia
Helvetii
Pannonia
Mauretania Tingitana
Mauretania Cæsariensis
NUMIDIA
AFRICA
GÆTULIA
Syrtis Minor
Syrtis Major
Regio Syrtica
Byzacium
Carthago
Utica
Tingis
Gades
Volubilis
Lieues de France de 25 au Degré
25 50 100 150 200

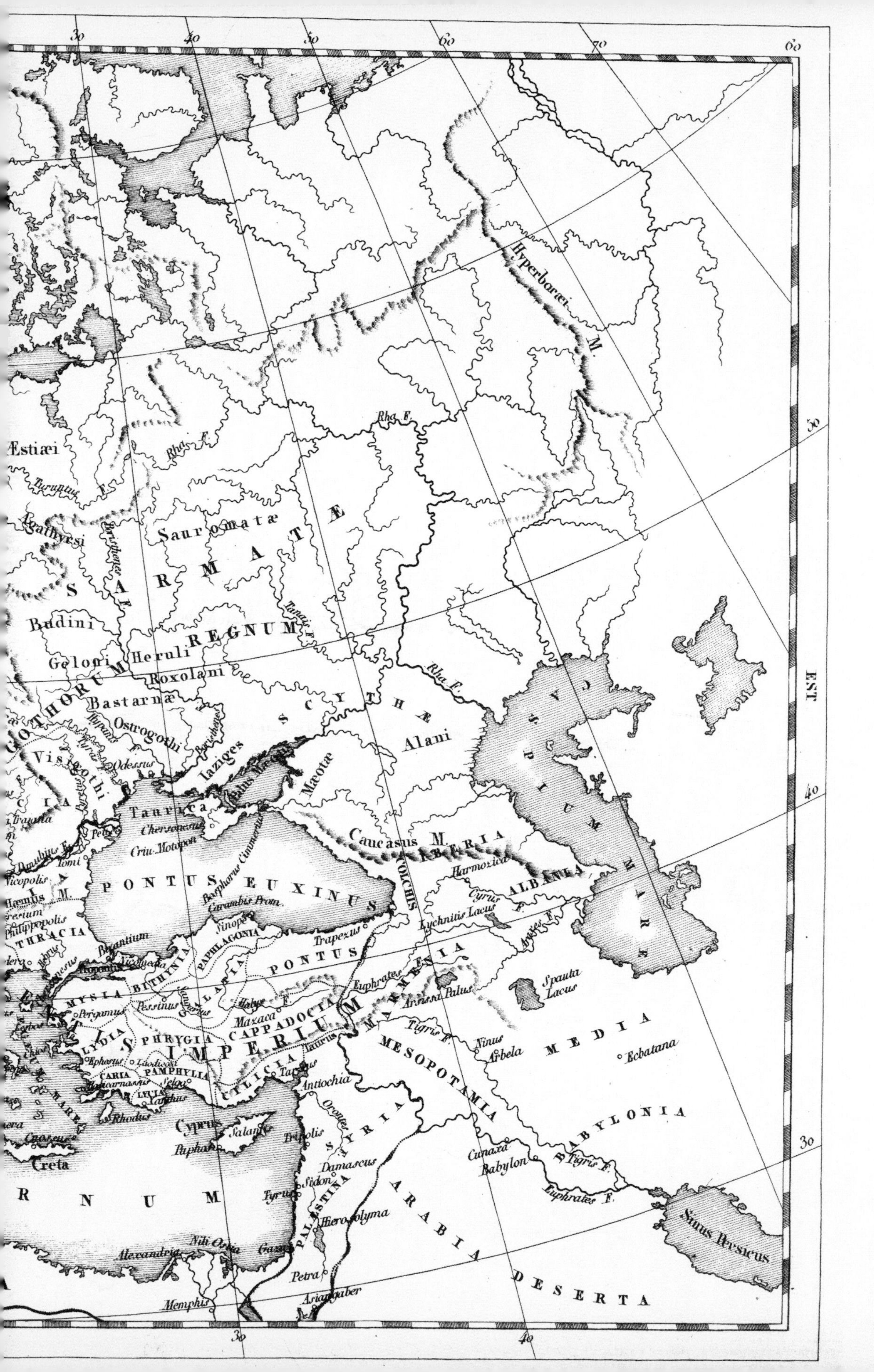

Hyperboræi M.
Æstiæi
Rha F.
Agathyrsi
Sauromatæ
SARMATÆ
Budini
Geloni
Heruli
REGNUM
Roxolani
GOTHORUM
Bastarnæ
SCYTHÆ
Alani
Ostrogothi
Visigothi
Iaziges
Odessus
Palus Mæotis
Mæotæ
Taurica
Chersonesus
Criu-Metopon
Caucasus M.
IBERIA
Harmozica
ALBANIA
PONTUS EUXINUS
Carambis Prom.
Bosphorus Cimmerius
COLCHIS
Cyrus F.
Lychnitis Lacus
Sinope
PAPHLAGONIA
Trapezus
PONTUS
ARMENIA
Byzantium
Nicomedia
BITHYNIA
MYSIA
Pergamus
Pessinus
Halys F.
Euphrates
Arsissa Palus
Spauta Lacus
LYDIA
PHRYGIA
CAPPADOCIA
Mazaca
IMPERIUM
Tigris F.
Ninus
Arbela
MEDIA
Ecbatana
MESOPOTAMIA
CARIA
PAMPHYLIA
CILICIA
Tarsus
Antiochia
Rhodus
Cyprus
Salamis
Paphos
Creta
Tripolis
SYRIA
BABYLONIA
Damascus
Sidon
Tyrus
Cunaxa
Babylon
Tigris F.
Euphrates F.
Sinus Persicus
Hierosolyma
PALÆSTINA
ARABIA
Alexandria
Nili Ostia
Gaza
Petra
Memphis
Asiongaber
DESERTA
RNUM
Thracia
Philippopolis
Tomi
EST

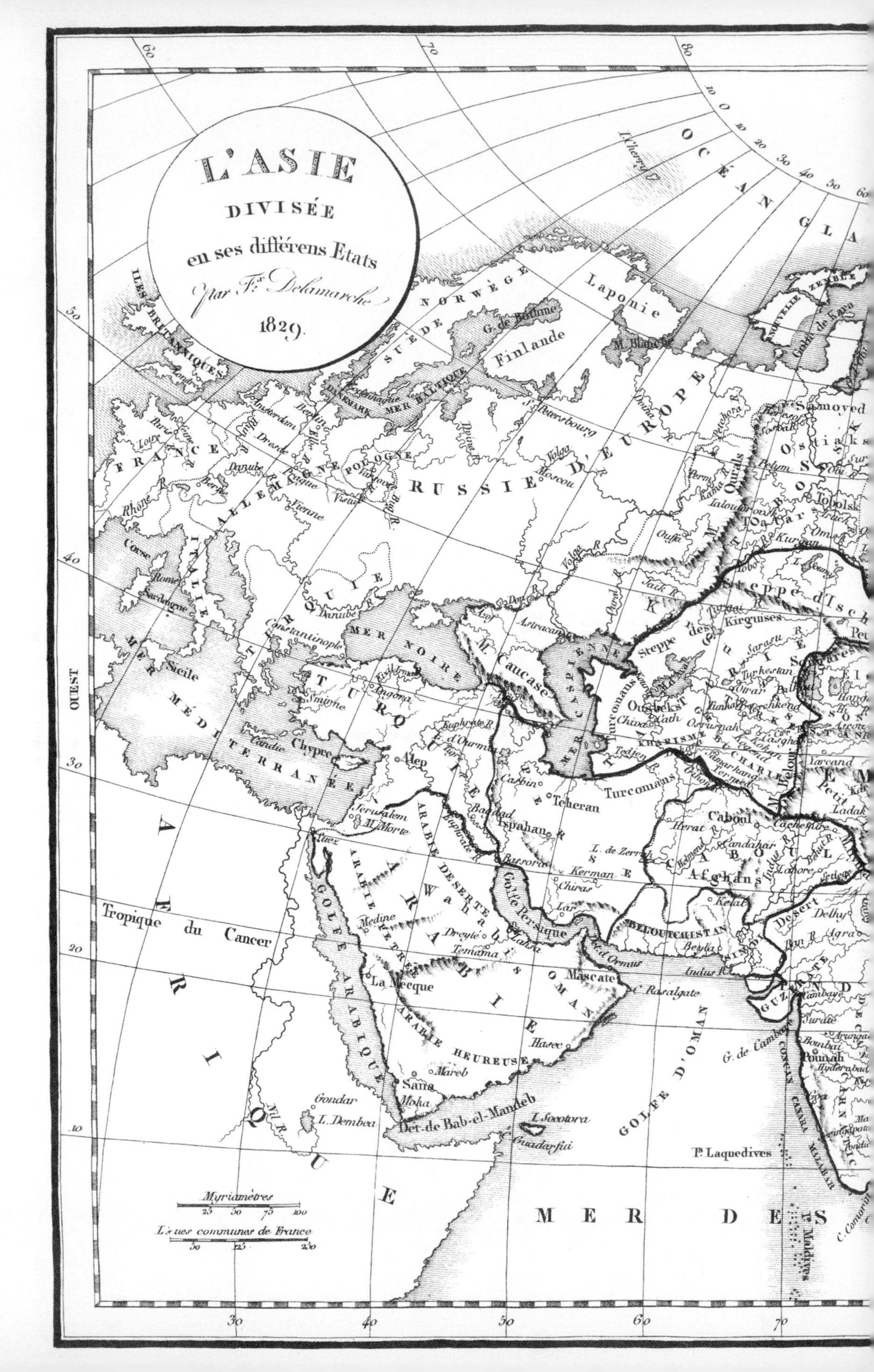

L'ASIE
DIVISÉE
en ses différens Etats
par Fx. Delamarche
1829.
OCÉAN GLA
RUSSIE D'EUROPE
FRANCE
ALLEMAGNE
POLOGNE
ITALIE
TURQUIE
MER NOIRE
MER MÉDITERRANÉE
ARABIE
AFRIQUE
GOLFE ARABIQUE
GOLFE D'OMAN
MER DES
Tropique du Cancer
OUEST
Myriamètres
Lieues communes de France

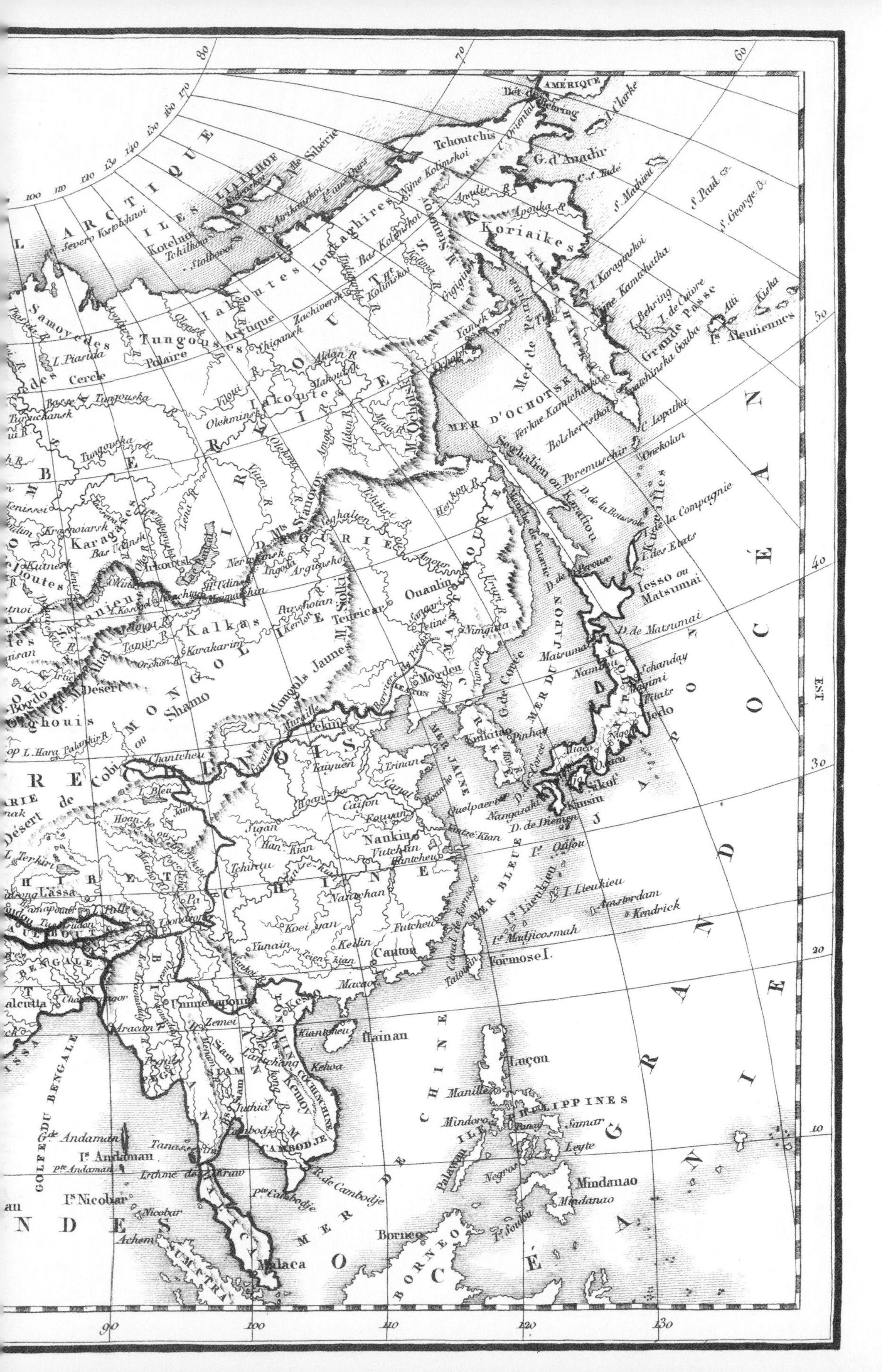
AMÉRIQUE
Tchoutchis
G.d'Anadir
S. Mathieu
S. Paul
S. George
Koriaikes
Anadir R.
Apouka R.
Nijne Kolimskoi
Bas Kolimskoi
Kolima R.
Indigirka R.
Zachiversk
Aldan R.
Iakoutsk
Olekminsk
Iakoutes
Tungousta
Tungouska
Polaire
Cercle
Samoyedes
I. Piasida
Turuchansk
Tungouska R.
Jenisseï
Krasnoiarsk
Karagasses
Bas Udinsk
Irkoutsk
Lac Baikal
Nertchinsk
Ingoda R.
Argunskoi
Kiachta
Maimatchin
Selinginsk
Kalkas
Karakarim
Tamir R.
Orchon R.
Kerlon R.
Tsitsicar
Ouanlin
Sangari
Petiné
Ningouta
Amour
Tchikiri R.
Heskon R.
Yamsk
Ochotsk
M. d'Ochotsk
MER D'OCHOTSK
Mer de Penjina
Bolsheresthoi
C. Lopatka
Verkne Kamtchatka
Nijne Kamtchatka
I. Karaginskoi
I. Behring
I. de Cuivre
Grande Passe
Is. Aleutiennes
Atti
Kiska
Onékolan
Poremuschir
Seghalien ou Karafton
D. de la Bousole
I. de la Compagnie
I. des Etats
D. de la Perouse
Iesso ou Matsumai
D. de Matsumai
Matsumai
Nambou
Jedo
Niphon
D. DU JAPON
MER DU JAPON
G. de Corée
Mouden
Pinhay
CORÉE
Quelpaert
Nangasaki
Kiusiu
Sikof
Miaco
Osaca
D. de Diemen
MER JAUNE
MER BLEUE
I. Lieukieu
Is. Lieukien
Is. Madjicosmah
Amsterdam
Kendrick
Formose I.
Canal de Formose
Pekin
Mongols Jaunes
Shamo
Desert
Désert de Cobi
G. Muraille
Chantcheu
L. Bleu
Hoan-ho
Trinan
Caifon
Fouyan
Nankin
Vutchan
Hantcheu
Sigan
Han-Kian
Tchintu
Nantchan
Koei yan
Futcheu
Kéilin
Yunain
Canton
Macao
Tonquin
Kesho
Hainan
Kiantcheu
Kehoa
Cochinchine
Cambodje
Pte. Cambodje
R. de Cambodje
Siam
Juthia
Pegu
Aracan
Ava
Ummerapoura
Zemei
Tanasserim
Isthme de Kraw
Malaca
Sumatra
Achem
Golfe du Bengale
Gde. Andaman
Is. Andaman
Pte. Andaman
Is. Nicobar
Nicobar
Lassa
Thibet
Bengale
Calcutta
Chittagong
Luçon
Manille
Mindoro
Samar
Leyte
Panay
Negros
Palawan
Mindanao
Is. Soulou
Borneo
ILES PHILIPPINES
MER DE CHINE
MER DE CHINE
GRAND OCÉAN
OCÉAN
EST
80
70
60
50
40
30
20
10
90
100
110
120
130

RUSSIE D'EUROPE
PAR
C.V. Monin
OCÉAN GLACIAL
NOVAIA ZEMLA ou Nouvelle Terre
MER DE KARA
MER BLANCHE
LAPONIE
NORVÈGE
SUÈDE
GOLFE DE BOTNIE
FINLANDE
G. DE FINLANDE
MER BALTIQUE
ARKHANGEL
VOLOGDA
PERM
NOVOGOROD
Arkhangel
Kazan
Saratov
Astrakhan
Orenbourg
Kirghiz de la Petite Horde
Stepp d'Emba
POLOGNE
Varsovie
Lemberg
EMPIRE D'AUTRICHE
MER D'AZOV
Crimée
MER NOIRE
MER CASPIENNE
EMPIRE OTTOMAN
Constantinople
Andrinople
Smyrne
Trebisonde
Tiflis
Erivan
PERSE
GRÈCE
ARCHIPEL
Lieues Communes de France
Werstes de Russie

MAQUETTE IMAGINAIRE

DE LA JÉRUSALEM ANTIQUE

BIBLIOGRAPHIE

GRANDE-BRETAGNE :
- DELVAILLE Bernard, *Londres*, P.U.E, 1983.
- ROY Claude, *Londres*, éd. Autrement, 1986.

BELGIQUE :
- MARTENS Mina, *Histoire de Bruxelles*, éd. Universitaire Privat, 1976.
- HANRION Régis, *Belgique*, éd. du Seuil, 1980 (Petite Planète).

ALLEMAGNE :
- DES CARS Jean, *Les châteaux fous de Louis II de Bavière*, Perrin, 1990.
- MINVIELLE Pierre, KAUTZMANN Raymond... *L'Allemagne*, Larousse, 1988.
- *Le Grand guide de l'Allemagne*, Gallimard, 1989.
- MAUROIS A., *Histoire de l'Allemagne*, Hachette, 1965.

FRANCE :
- *La Cité, l'île Saint Louis*, Henri Veyrier.
- *La France*, Larousse, 1974.
- BADY Jean-Pierre, *Les monuments historiques en France*, "Que sais-je ? P.U.F., 1985.
- LEVRON J., *Châteaux et parcs royaux*, Arthaud, 1964.

ESPAGNE :
- PEREZ Joseph, *Isabelle et Ferdinand, rois catholiques d'Espagne*, Fayard, 1988.
- CRESPI Gabrièle, *L'Europe musulmane*, éd. Zodiaque, 1982.
- LIEBICH Hayat Salam, *L'Art Islamique – Bassin Méditerranéen*, Hammarion, 1983 (la grammaire des styles).

ITALIE :
- DIEHL Charles, *La République de Venise*, Flammarion, 1985.
- KENT John, *Venise*, Gallimard, 1989.
- MORAND Paul, *Venises*, N.R.F. 1971.
- LANE Frédéric, *Venise, une république maritime*, Flammarion, 1985.

ALBANIE :
- ZAKHOS Emmanuel, *Albanie*, Ed. du Seuil, 1972.
- CASTELLAN G., *l'Albanie*, P.U.F., "Que sais-je ? 1980.

GRECE :
- LACARRIERE Jacques, *Promenades dans la Grèce antique*, Hachette, 1978.
- BRANIGAN K. et VICKERS M., *La Grèce antique*, A. Colin, 1981.
- BOUTMY Emile, *Le Parthénon et le génie grec*, Armand Colin.

TCHECOSLOVAQUIE :
- BURIAN J. et HARTMANN A., *Châteaux de Prague*, éd. du Cercle d'Art, 1975.
- MOORHOUSE G., *Prague*, Time-Life, 1980.

RUSSIE :
- NAZAREVSKI V., *Histoire de Moscou des origines jusqu'à nos jours*, Payot, 1932.
- RONDIERE P., *Moscou et Léningrad*, Nathan, 1967.
- BORTOLI Georges, *Voir Moscou et Léningrad*, Hachette, 1974.
- ALPATOV Michel, *Histoire de l'art russe*, Flammarion, 1975.

TURQUIE :
- SCHNEIDER et EVIN, *Le Harem impérial de Topkapi*, Albin Michel, 1977.
- RICE David Talbot, *Constantinople, Byzance, Istanbul*, Albin Michel, 1966.
- MICHEL Denis et RENOU Dominique, *Istanbul aujourd'hui et la Turquie égéenne*. Jeune Afrique, 1986.

LIBAN :
- NANTET J., *Histoire du Liban*, éd. de Minuit, 1963.
- ALLEM J.-P., *Le Liban*, P.U.F., "Que sais-je ? 1968.
- KHAWAM R., *Contes et légendes du Liban*, Nathan, 1963.

ISRAEL :
- CASTEL François, *Histoire d'Israël et de Juda des origines au IIe siècle après J.-C.*, éd. Le Centurion, 1983.
- CHOURAQUI André, *La vie quotidienne des Hébreux au temps de la Bible*, Hachette, 1971.
- ALEM Jean-Pierre, *Terre d'Israël*, Ed. du Seuil, 1973.
- CEP Jean, *Nous partons pour la Terre Sainte*, P.U.F., 1973.

IRAN :
- *L'Iran*, Larousse, 1976.
- PORADA Edith, *Iran ancien : l'art à l'époque pré-islamique*, Albin Michel, 1962.
- GHIRSHMAN R., *L'Iran des origines à l'islam*, Albin Michel, 1976.
- GODARD A., *L'Art de l'Iran*, Arthaud, 1962.

ASIE CENTRALE :
- HAMBIS Louis, *L'Asie centrale histoire et civilisation*, Imprimerie Nationale, 1977.
- MICHAUD Roland et Sabrina, *Caravanes de Tartarie*, Chêne, 1980.
- GROUSSET R., *L'Empire des steppes, Attila, Gengis Khân, Tamerlan*, Payot, 1938.

INDE :
- GODISH Vitold de, *Splendeurs et crépuscule des Maharadjahs*, Hachette, 1963.
- DORE F., *L'Inde du Nord et le Népal*, P.U.F., 1979.
- GOETZ Hermann, *Inde, l'Art dans le monde*, Albin Michel, 1959.
- CRUSE Denys, *L'Inde : Séduction et Tumulte, Autrement Revue*, Ed. du Seuil, 1985, Hors-Série 13.

TIBET :
- DAVID-NEEL, Alexandra, *Mystiques et magiciens du Tibet*, Plon, 1941.
- ROBLES Emmanuel, *Routes tibétaines*, Grasset, 1986.
- MAHUZIER A. et L., *Traditions du Tibet*, Presses de la Cité, 1980.
- *Potala Palace, Lhassa*, 1988.
- *Tibet*, PML éditions, Paris, 1989.
- DALAI-LAMA, *Mémoires*, Fayard, 1990.

BIRMANIE :
- LE RAMIER Gabriel, *Birmanie*. Arthaud, 1988.
- DELACHET C. et GUILLON F., *Birmanie*, Ed. du Seuil, Petite Planète.
- LUBEIGT G., *La Birmanie*, P.U.F., "Que sais-je ? 1975.

THAILANDE :
- CLARAC ET SMITHIES, *Thaïlande*, Bangkok, 1974.
- ROUTIER-LE DIRAISON, *Voir la Thaïlande*, Hachette, 1980.

MALAISIE :
- DUPUIS J., *Singapour et la Malaysia*, P.U.F., "Que sais-je ? 1972.
- SAINT-CLAIR G. et MALLET D., *Malaisie, miroir de l'Asie*, Laffont, 1983.

SINGAPOUR :
- SCHAFER Betty et Rubb, *Singapour*, Hachette, éd. du Pacifique, 1986.
- *Singapour*, éd. du Moniteur, 1980.
- DUPUIS J., *Singapour et la Malaysia*, P.U.F., 1972.

INDONESIE :
- DELVERT Jean, *L'Indonesie*, SEDES, 1979.
- BRUHAT J., *Histoire de l'Indonésie*, P.U.F., "Que sais-je ? 1976.
- BENSA A., *Le sacré à Java et à Bali*, Laffont, 1969.

CAMBODGE :
- DAUPHIN-MEUNIER A., *Histoire du Cambodge*, P.U.F., "Que sais-je ? 1961.
- FREDERIC L., *La vie quotidienne dans la péninsule indochinoise à l'époque d'Angkor, 800-1300*, Hachette, 1981.
- GROSLIER B.P., *Angkor, hommes et pierres*, Arthaud, 1965.

CHINE :
- ELISSEEFF Danielle et Vadime, *La civilisation de la Chine classique*, Arthaud, 1987.
- COTTERELI Arthur, *Le Premier Empereur la plus grande découverte archéologique du siècle*, éd. Chêne, Hachette, 1981.
- GROSLIER, *Indochine*, Albin Michel, 1961, l'Art dans le monde.

COREE :
- MORILLOT Juliette, *Tout sur la Corée le pays du matin clair*, Souffles, 1988.
- FABRE André, *La Grande histoire de la Corée*, Favre, 1988.

JAPON :
- LANDY Pierre, *Nous partons pour le Japon*, P.U.F., 1970.
- RAMBACH Pierre, *Le Génie du Japon*, Arthaud, 1963.
- SWANN Peter C., *Japon l'art dans le monde*, Albin Michel, 1965.

ETATS-UNIS :
- MORIN Edgar et APPEL Karel, *New York la ville des villes*, Galilée, 1984.
- Etats-Unis, *Paris Tourism Conculting Group* ; (puis), Hachette, 1978.
1. *L'Ouest sauvage*
- MUHLSTEIN Anka, *Manhattan*, Grasset, 1986.

MEXIQUE :
- KLEIN Jacques, *Mexique*, Hachette, 1983.
- SOUSTELLE Jacques, *L'art du Mexique ancien*, Arthaud, 1966.
- PETERSON F.A., *Le Mexique précolombien*, Payot, 1961.

GUATEMALA :
- P. BORDAS et collab, *Le Guatemala*, Delroisse, 1975.
- JIKA, *Mexique, Guatemala*, Jika, 1988.

PEROU :
- ALIAGA Francisco, *Pérou la vie quotidienne des indiens de la vallée du Maniaro*, L'Harmattan, 1985.
- LEHMANN H. *Les Civilisations précolombiennes*, P.U.F., "Que sais-je ? 1977.
- COLLIN C., *Pérou*, Ed. du Seuil, 1976.

COLOMBIE :
- DISSELHOFF Hans-Dietrich, *Amérique Précolombienne, L'Art dans le monde*, Albin Michel, 1960.
- DEM M., *Insolite Colombie*, Albin Michel, 1965.

ILE DE PAQUES :
- ORLIAC Catherine et Michel, *Des dieux regardent les étoiles, Les derniers secrets de l'Ile de Pâques*, Découvertes Gallimard, Histoire, 1988.
- CASTEX Louis, *Les secrets de l'Ile de Pâques*, Hachette, 1966.
- MAZIERE Francis, *Fantastique Ile de Pâques*, Laffont, 1965.

MAROC :
- GASNIER Nicole, *Odysée Maroc*, Hachette, 1980.
- MIEGE Jean-Louis, *Le Maroc*, P.U.F., 1986.
- TERRAESS II, *Villes impériales du Maroc*, Arthaud, 1937.

TUNISIE :
- PILLEMENT Georges, *La Tunisie inconnue, itinéraires archéologiques*, Albin Michel, 1972.
- SANDSTROM Anders, *Tunisie les horizons et les hommes*, Cérès Productions, 1987.
- FRADIER Geroges, *Mosaïques romaines de Tunisie*, Cérès Productions, 1989.

EGYPTE :
- DAUMAS François, *La civilisation de l'Egypte pharaonique*, Arthaud, 1987.
- LACOUTURE S., *Egypte*, éd. du Seuil, 1976.
- WIESNER J., *L'Egypte*, Payot, 1963.
- WOLDERING I., *Egypte, l'art des pharaons*, Albin Michel, 1983.

ETHIOPIE :
- DORESSE Jean, *La vie quotidienne des chrétiens en Ethiopie aux XVIe et XVIIIe siècles*. Hachette, 1972.
- LEROY Jules, *L'Ethiopie, archéologie et culture*, Desclée de Brouwer, 1973.

ANGOLA :
- DAVIDSON B., *Angola, Présence Africaine*, 1957.
- *Département d'Information et de Propagande du Comité Central du MPLA, Partie du Travail, Angola*, éd. DIP, 1985.

SEYCHELLES (îles) :
- FILLIOT J.M., *Histoire des Seychelles*, éd. de l'O.R.S.T.O.M., 1983.

AUSTRALIE :
- MOUNTFORD C.P., *Mythes et rites des aborigènes d'Australie*, Payot, 1952.
- DELAMOTTE Jean-Paul, *L'Australie*, Larousse, 1991.
- LACOUR-GAYET R., *Histoire de l'Australie*, Fayard, 1973.

COLLECTIONS VOYAGE :
Guides bleus Hachette, Géo, Michelin, Delta, Arthaud, Fodor.

COLLECTIONS :
- Archeologia Mundi, Nagel.
- Art dans le monde, Albin Michel.
- Connaissance de l'Asie : S.c.e.m.i.

- GRANGER Ernest, *Nouvelle géographie universelle*, Hachette, 1922.

- *Histoire des grands voyages au XIXe siècle*, Librairie géographique, Paris, 1876.

- BENY Roloff, *Le monde de la Méditerranée*, Bordas, 1982.